ヒトの探究は科学のQ

長谷川眞理子

青土社

ヒトの探究は科学のQ

目次

目次

III 生物学をめぐるQ

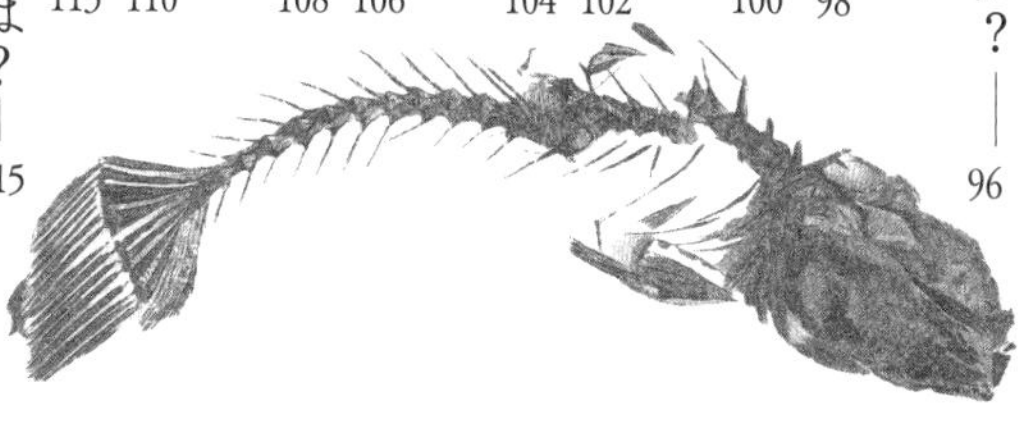

IV 宇宙・物質・時間をめぐるQ

V 伝記・歴史・博物学をめぐるQ

VI 現代社会・哲学をめぐるQ

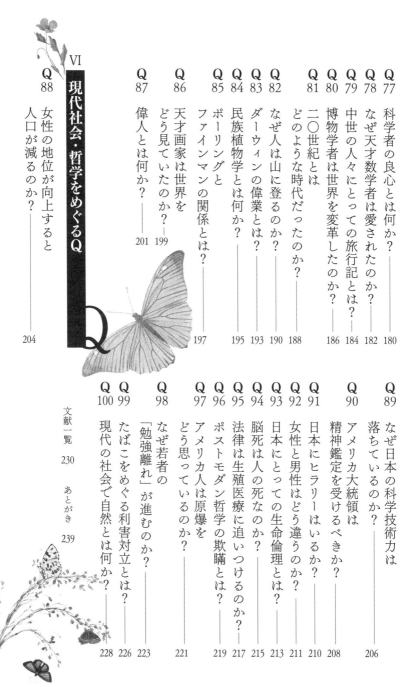

ヒトの探究は
科学のQ

まえがき

本を読むのが好きなので、小さい頃からずいぶんたくさん本を読んできた。書評を頼まれると、たいていは読んで書評してしまう。一〇年も経つとそれらが結構な量になる。

書評の目的とは、第一に、取り上げた本を一般社会に紹介し、多くの人々に読んでもらえるようにすることだ。だから、書評の主役は対象となる書物であって、書評を書いている私ではない。

書評を書いてほしいと依頼されたあと、送られてきた本を読んでみて、「これはひどい、これは違う」と感じることもある。それをそのように書いてしまうと、その文章は私自身の意見表明になり、本来の書評ではなくなってしまうのだ。そのような場合の私自身の意見表明は、そういった書物を書評の対象には取り上げないことなのである。

本書は、私がこれまでに書いた書評の一部を集め、内容のカテゴリーごとに分類し、追加でいろいろと書き足して作ったものだ。今度の主役は私である。これまでに書いた書評をまとめ、改めて読み直してみると、私自身の考えや主張がより明確に浮かび上がってくる。他の人が苦労して書いたものを題材に、私自身の考えや世界観を展開するのは、ずるいと言えばずるいのかもしれない。が、「知」というものは、一人の人間が単独で築くものではない。多くの人々がさまざまなアイデアを交換し、共有し、意見を闘わせながら築いていくものだ。ということで、他の人々の労作を「サカナ」に、私の思索を展開してみた。

本書に収めた私のオリジナルの書評は、一九九九年から二〇二〇年にかけて、『朝日新聞』と『日本経済新聞』に掲載されたものである。本書の記述によって改めて、ここで取り上げた書物に興味を持ってくださった方々が、それらの本を手にとって読んでくださると嬉しい。私自身、だれか他の人が書いた書評を読んだことによって、その本を読もうと思ったことは多々ある。それが期待通りに面白かったときには、満足感はさらに大きい。本書によってそんな「縁結び」ができれば望外《ぼうがい》の喜びである。

I

AI
をめぐるQ

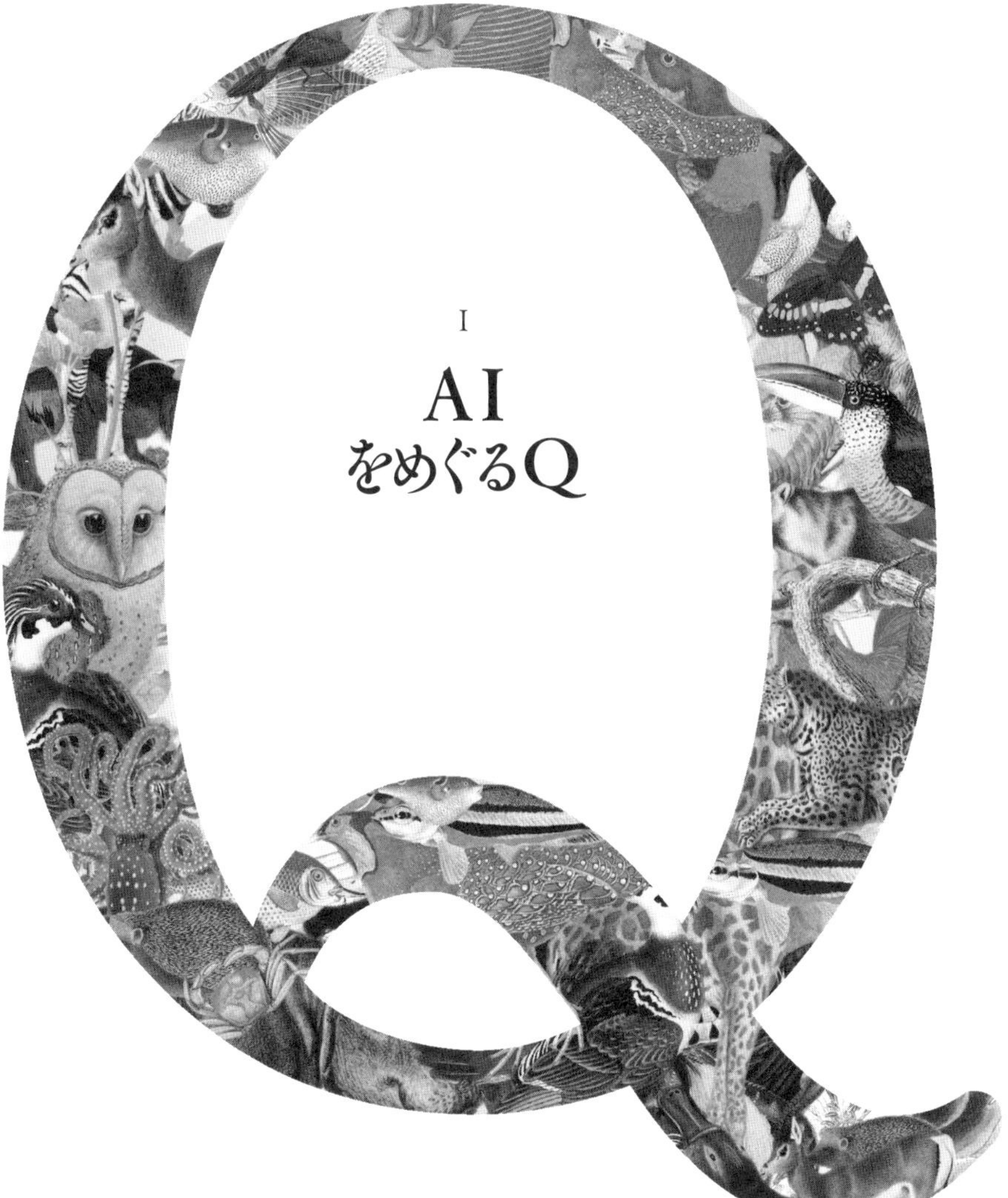

Q1 ＡＩは人間をどう変えるのか？

ジョン・ブロックマン編『ディープ・シンキング』を読む
菅付雅信『動物と機械から離れて』を読む

ＡＩ（人工知能）に関する書物が目白押しである。これからの人間社会はどうなるのか、期待も不安も、これまでになく大きい。

一人の著者による書物は、一人の先生の講義を聴いているようで、その人が問題と思うことを中心に、考えが展開されていく。それはそれでおもしろいのだが、他の研究者たちはどう考えているのか、並べてみたいと思う。そこで、この二冊を読んでみた。どちらも、ＡＩの進歩に対する多くの学者たちの意見を集めてあるからだ。これはまるで、ＡＩをテーマにした仮想シンポジウムである。

『ディープ・シンキング』は、サイエンス関連の本の編者として有名なジョン・ブロックマンが、当代一流の知性二五人に対してＡＩに関する考察を寄せてもらった論集である。二五人は、それぞれが物理学、工学、認知科学などの専門家で、彼らの論考はたいへん専門的で難しい。

しかし、ＡＩの未来に対して楽観的な人も悲観的な人も、ほとんどの学者たちが、なんらかの懸念を表明している。機械学習のプロセスには透明性がないので、どうしてそういう結論になるのかが説明できない、人間が持っている包括的な価値観を機械に持たせることは難しい、価値観や目的の一致がなければ、機械が真に人間と一緒には働けない、などなどだ。

発達心理学者のゴプニックは、「ＡＩは人間の四歳児に到底かなわない」と言い、分子生物学者のラマクリシュナンは、「コンピューターがバクテリアの上に立つとは到底信じられない」と言う。哲学者のデネットは、「人工的な意識を持ったエージェントなど必要ない、私たちはツールを作っているのであって、仲間を作っているのではない」と言う。

＊

『動物と機械から離れて』は、編集やコンサルティングを手がけてきた著者が、ＡＩの今後について、多くの学者たちにインタビューした成果である。著者は、ＡＩが本当に人間を幸せにするのか、という問いを持ち、人間が人間であるための「抗《あらが》い」の旅として、このインタビューを敢行した。

ＡＩは、自由、幸福、人権、民主主義の観念をどう変えるか、どんな問題があり得るか、法学者の観点から論じたものはあまり前面に出てこないので、私は本書のこの部分がとても興味深かった。

読み終わると、改めて、ＡＩを考えることは人間とは何かを考えることだとわかる。そして、私たちはまだ、人間の作動原理をよく理解していない。読み進むほどに、読者もこの「シンポジウム」に参加して、何か言いたくなるだろう。ＡＩの進展を単に経済的チャンスだと見るだけでなく、こんな深い議論が必須なのだ。

Q2 なぜスマホから逃れられないのか?

アダム・オルター『僕らはそれに抵抗できない』を読む

昨今、公共の場所を移動している間に、なんと多くの人々が前を見ずにスマホの画面を見ていることか。電車がどんなに混雑してきてもスマホの操作をやめない人。どんなに子どもが話しかけても、返事をせずにスマホの操作を続ける親。こんな光景は、もう日常茶飯事である。では、この人たちはスマホを手に、いったい何をしているのか? だれかとおしゃべりする、動画を見る、ゲームをする、などなど。切迫した仕事をしている人もゼロではないのだろうが、圧倒的多数の人は、別にやらなくてもよいことをしている。なぜか? そう、だれもが依存症なのだ。

本書は、ネット関係の各種テクノロジーが、薬物中毒と同じように脳に働きかけて、その行動をやめることができないように仕向けている現実を冷静に描き出す。中毒がどのように作られるのか、なぜ人はそれに惹《ひ》きつけられるのか、依存症のメカニズムを探る実験も豊富に紹介される。

人は、だれかに称賛されることが好き、他人と比べることが好きで、次にどうなるかが不確実だとついつい先を見たくなる、などなど。ネット関係のテクノロジーは、こんな人間の本来の傾向を巧みに利用している。だから、「僕らはそれに抵抗できない」。これは「依存症ビジネス」だ。

子どもはまだ自己抑制が十分にできないので、とくに依存症になりやすい。そして、現実の人づきあいや現実の社会生活を、現実の中で学ばねばならないのに、その時間をネットに使ってしまっている。依存症になった人は、環境を変えるとそれを克服できることが多いのだが、スマホは今やだれにとっても手の一部となっており、スマホ環境からは逃れられない。

アップルのスティーブ・ジョブズが、素晴らしい製品としてiPadを発表したのが二〇一〇年。でも、彼が自分の子どもにはiPadを使わせなかったって、ご存知《ぞんじ》？

Q3

人間は物理的な機械なのか？

バイロン・リース『人類の歴史とＡＩの未来』を読む

昨今、ＡＩ（人工知能）がどれほど発展していくのかについて、議論がかまびすしい。本当にＡＩが人間の仕事のほとんどを奪うような時代が来るのだろうか？

本書は、生物である人類の歴史が、これまでどのように進展してきたのかを、まずは概観する。言葉を話し、火を使うようになった。次に、農業を始め、都市を作った。そして、文字を使い、車輪を発明した。これらが人類の歴史における画期的な技術の転換点。そして、今度はＡＩである。

個別の特殊な作業だけではなく、人間のようになんでも対応可能な汎用《はんよう》型ＡＩが本当にできるのか？　それは、そもそも人間とはどんな生き物であると考えるかにかかっている。

さて、あなたは、人間は究極的に、物理的に説明可能な機械だと考えますか？　それとも、生命には、物理的世界とは異なる何かがあると考えますか？　読者自身に考えを問いながら進むＡＩ談義は秀逸である。

Q4 だれがアルゴリズムを作るのか？

キャシー・オニール『あなたを支配し、社会を破壊する、AI・ビッグデータの罠』を読む

人工知能（ＡＩ）とビッグデータは大流行。ソサエティー5・0？ 第四次産業革命？ ＡＩによって人間の仕事が奪われるって？ いや、もっと怖いのだ。

ＡＩとビッグデータは、（1）膨大な量のデータを集め、（2）そこから、ある目的のためのアルゴリズムを作り、（3）そのモデルを当てはめて予測を引き出す。大学ランキングを例にとろう。受験者の学力データ、二年生に進級する割合、寄付の額など、いろいろなデータを集める。そして、よいと思われる順に大学が並べられるよう、それらの変数に重みづけをする計算アルゴリズムを作り、各大学のランキングをはじき出す。

そもそもどんなデータを集めるべきか？ 人間が決める。アルゴリズムはどうやって書くの？ 人間が決める。だから、（1）にも（2）にも、人間の価値観やバイアスがどっぷり入っている。出てきたランキングは客観的に見えるが、本当に客観的だと思います？ が、大学はこれに振り回される。

毎日、スマホを使って買い物したりするたびに、その行動は、人々の好み、交遊範囲、金銭

状態に関するデータとなる。その膨大なデータをもとに、どんな傾向の人物なのかをはじきだすアルゴリズムがあり人々が分類される。分類によって個人の評判が決まる。そのデータは売られる。アルゴリズムの詳細は企業秘密なので公表されない。これって公正だと思います？

ＡＩとビッグデータで何をしているのか、プロセスに透明性がない。間違いがきちんとフィードバックされない。モデルの目的が効率化なら、公正は無視される。便利だから急速に増殖し、大量の人々が悪影響を受ける。これはもう、数学をまとった「兵器」ではないか。

モラルや想像力は人間固有のものだ。ＡＩをどう使うべきか、もっと精査が必要だろう。データサイエンスを熟知した著者が、警告とともに今後の方向を提案する、大変重要な一冊。

Q5 技術開発の功罪とは？

ロビン・ハンソン『全脳エミュレーションの時代（上・下）』を読む

これは大変に奇妙な本である。多くの人は、最後まで読み通さないかもしれない。私自身、決して楽しく読んだわけではない。では、なぜ紹介するのか？

まずは、本書のタイトルにある「全脳エミュレーション」とは何か。これは、ある個人の脳の細胞もシナプス結合も全部そっくりコンピューターにコピーし、それをもとにして働くＡＩを作ることを指す。つまり、人間と同じように機能する汎用《はんよう》型ＡＩを作る一つのやり方だ。

そもそも、そんなことができるのか、にわかには信じがたい。しかし、現在のＡＩ業界でその努力がなされているのは事実。さらに、ある人の脳をそっくりコピーできたとしても、それが実際に働くためには、身体がなければならない。それはロボットなのかと言うと、バーチャルな世界に住むバーチャルなボディーでもかまわない（ああ、もうわけがわからない、という声が聞こえてきそうだ）。

ところが、本書の主題は、汎用型ＡＩ作成のことでも、それで人間がどうなるかということでもない。こんな技術が可能となった先の時代の話である。この汎用型ＡＩを「エム」と呼ぼう。舞台は、エムが完成し、エムがエムをコピーして増殖し、ほとんどの仕事をエムたちが行うようになった時代だ。さて、エムたちはどんな行動をし、どんな社会を作るのか？　エム社会の法律や働き方はどうなるのか？　著者が描くのは、そのような未来である。

そこで、なぜ私が本書を取り上げたか。それは、ある技術が出現したとき、それが全社会的にどんな影響を及ぼすのかについて、知力を結集して考えるという著者の態度が重要だからだ。技術開発は、普通、ある特定の目的を達成することしか見ていない。しかし、それが完成したときには、思いもよらない影響が社会のすみずみにまで及ぶ。そこを考えようとした試みとして、本書を評価したい。

II

人類・脳・文明をめぐるQ

Q6 人間の本質とは何か？

テッド・チャン『息吹』を読む
テッド・チャン『あなたの人生の物語』を読む

知る人ぞ知るSF作家のテッド・チャン。『息吹』は、前作『あなたの人生の物語』から一七年目の新作である。収められた作品は、ショートショートから少し長めのものまで、どれも洞察に満ちていて切れ味鋭い。

舞台はいずれも現代ではないが、いきなりそこの社会での話になり、背景情報がない。読み進むうちに、ああ、こういう世界の話かとわかってくる。そして、そこに込められたイメージの源泉がつなぎあわさって、作者が問題にしていることが理解できてくる。

本書の作品群を通じての大きなテーマは、人間の本質である。近年、脳科学がどんどん進み、同時にＡＩとロボットの技術も大幅に進展した。意識とは何か、記憶と経験とは何か、子どもが育つとは？　こんなテーマが中心のＳＦは、ここまでの脳科学やＡＩの発展があってこそ、可能になったように思う。

汎用型《はんよう》ＡＩやビッグデータの世界がどんなものになるのか、今の私たちは、一〇年前と比べても、ずっとイメージしやすい。そういう世の中になったから、こんなSFが書かれるようになったのだろう。

昔のSFの多くは、物理的な技術が進んだ未来を描いても、そこに登場する人間たちは、今に生きている私たちと同じ人間だった。だから、どんなに進んだ技術の未来が描かれていても、作家が住んでいる時代の男女差別の感覚などがそのまま持ち越されていた。

私は、AIやロボットやビッグデータの利用がもっと進んだ世界で育つ人間は、今の私たちとは違う人間になるのだと思う。だから本書のような世界の登場人物たちは、私たちとは違う感性を持ち、違う常識を持っているのではないか。

しかし、本書に描かれている人間たちは、やはり、今の私たちと同じ人間なのだ。だから本書を読んで共感できるわけか。まるで異なる未来人を描いてみても、読者は振り向かないのかもしれない。それとも？

＊

『あなたの人生の物語』は、テッド・チャンの最初の作品。私は、この作品を読んで作者の発想の面白さに感激した。とくに、どことも知れぬ宇宙の彼方からやってきた異星人の話が印象的だ。私たち人間は、からだの真ん中に軸があって、左右がほぼ対称にできている、左右相称という形態だ。それに対して、ヒトデなどは、左右の軸というのはなくて、手足が放射状に出ている。こういう形態を放射相称という。

この作品に出てくる異星人は、どうも放射相称の形態らしい。そして、そのようなからだの作りの知性体が書く文字は、私たちのように右から左など、横に並べるのではなく、クルクルと渦巻状になっているのだ。私は、この発想にまずは感動した。テッド・チャンの作品には、人間に関する鋭い洞察が含まれていると思う。

Q7 「本当の豊かさ」とは何か？

ジェイムス・スーズマン『「本当の豊かさ」はブッシュマンが知っている』を読む
エリザベス・M・トーマス『ハームレス・ピープル』を読む

年の瀬も差し迫ってきた。来年の景気はどうか、不安を抱く人々は多いのではないか。未来は過去よりもよくならねばならないという強迫観念があるのか、私たちはいつからか、毎年の進歩と発展を願って働くようになった。しかし、ヒトという生物は初めからこんな生活をしていたのではない。それどころか、進歩と発展と蓄財のために身を粉にして働くというのは、人類進化史の最後の一万年に始まったことなのだ。そして、進歩と発展のスピードがこれほど速くなったのは、このたった数十年のことに過ぎない。

では、ヒトはどんな暮らしをしていたのかと言えば、狩猟採集生活である。日々、獲《と》れる物を獲り、食べられるだけを食べ、蓄えることはできず、食料が獲れなくなれば移動し、飢えるときは飢える。今の私たちは、これは大変な生活だと思うが、実際の狩猟採集民はそんなにあくせく働いてはいない。人類学の調査によると、一週間に一五時間ぐらい働けば、なんとか暮らしていけるらしいのだ。

もちろん、こういう生活にはリスクがつきもので、飢えはかなり頻繁にやってくる。決してパラダイスではないが、それが生活というもので仕方のないことなのだ。

『「本当の豊かさ」はブッシュマンが知っている』は、人類学者である著者が、アフリカのナミビアに住むジュホアンという狩猟採集民の人々を長年調査した結果の考察である。ジュホアンは、ブッシュマンと呼ばれる人々に属し、サピエンスの進化の原点にもっとも近い人々だ。長らくこの地で狩猟採集生活を営み、現在に至る。つまり、彼らの生活は、実に持続可能な生業形態だったわけだ。その秘訣《ひけつ》は何なのか？　それは、手に入るもので満足し、それ以上のものを望まないこと、なのである。

これは、イノベーションと経済発展が金科玉条のように言われる現代の社会とは、正反対の思想・哲学である。だから、そんな社会と無関係に暮らしてきたジュホアンたちは、現代社会になかなか順応できない。農場で働かされても、一生懸命働くことに意義を見いだせないので、怒られても、殴られても、働かない。

ブッシュマンのこのような態度は、文明化ができない彼らの欠点として語られてきた。しかし、本書は、その発想を逆転させる。つねに発展と向上をめざして働くという私たちの社会の観念こそ、本当によいものなのだろうか。資本主義が行き詰まるのではないかと問われる現在、ヒトの存在の原点を問い直す著作である。

かつて、手に入るもので満足していた彼らは、現在、定住地に集められ、食料の配給を受け、世界の不平等を知り、不満のかたまりだ。この現実は、何を語るのか？

＊

『ハームレス・ピープル』を読んだのは、まだ大学院の院生だったときだ。私が、野生チンパンジーの調査のためにアフリカに行ったのが一九八〇年。その準備段階で、ニホンザルなどの霊長類の生態を調べ、ヒトという生物の起源に関して考え始めた頃だった。当時は、私自身の人類進化に関する考えが本当に浅かったので、ヒトの進化環境が、現代の社会環境とは比べ物にならないほど違っていたことなどはあまり認識していなかった。

その中で、ヒトの進化史の大部分を占めてきた狩猟採集生活について克明に記述した本書は、その表現の文学的な素晴らしさとも相まって、非常に強い印象を私に残した。エリザベス・マーシャル・トーマスは、レイセオンという巨大軍需産業の創設者、ローレンス・マーシャルの娘である。大富豪であるが、人類の生活の基礎である狩猟採集民の生活を調べたいと考えたローレンス・マーシャルが、ナミビアのブッシュマンの生活を克明に調べて記録する事業を行った。その娘から見た、狩猟採集民の生活の記録である。

本書を読んだ時の感動と静かな爽快感は忘れられない。それでも、本書が含意するところを、当時の私がまったく理解できておらず、スーズマンの著作を読んで初めてその意義に気づいたというのは、悔しい限りだ。

Q8

極限状態で人は何を考えるのか?

ジェラルディン・マコックラン『世界のはての少年』を読む

読み始めたら止まらず、読み終わったあとの衝撃と悲しみ。ものすごい話である。そして、これは実話に基づく物語なのだ。

セント・キルダ諸島と聞いてわかる日本人は、まずいないに違いない。スコットランドの沖合にぽつんと離れて浮かぶ岩だらけの島々。私は一九九八年の三月から六月まで、ヒツジの調査でここに滞在したので、本書に描写されている島の様子はよくわかる。

一番大きなヒルタ島でも一日で一周できる広さ。今は世界遺産であり、ナショナル・トラストが管理しているが、一九三〇年まで最大で一八〇人ほどの人々がここで暮らしていた。

セント・キルダは海鳥の島である。ツノメドリ、カツオドリ、フルマカモメなどの鳥が何万とここに集まって巣を作る。それを捕まえ、肉と卵を食べ、油を燃やし、羽毛を服にする。樹木は一本もない、それは厳しい暮らしであった。

一七二七年の夏、九人の少年と三人のおとなの男性が、ヒルタから「戦士の岩」と呼ばれる岩だけの島へと渡った。冬に備えて海鳥を大量に捕獲するのが目的だ。三週間後には迎えの船が来るはずだった。が、何週間たっても船は来ない。およそ九カ月後にやっと船が来るのだが、その間、ヒルタでは何が起こっていたのか？

極限状態に置かれた一二人。そういう時に人は何をし、何を考えるか？　食料を確保し、暖《だん》を取るのは必須だが、心がむしばまれていくのが一番怖い。人間は、頭に描いた世界を持ち、そこに意味を見いださねばならない。記憶、物語、価値、信念。どれも、自分たちの心が紡ぎ出すものだ。

想像力こそが希望へと導いてくれるが、時に狂信をもたらす。それでも一人を除き全員が生還した。人間の強さも弱さも見た彼らのこの後の人生はいかに。経験は口にできないほど重い。「世界が終わっても、音楽と愛だけは生き残る」。最終章はかすかな光だ。

Q9 進化はどのように人体を作りあげたのか？

ネイサン・レンツ『人体、なんでそうなった？』を読む

ビタミンのサプリを飲んでいる方は多いのではないだろうか？　実は私も欠かせない。では、どうしてヒト以外の野生動物たちは、こんなものなしで生きているのだろう？　答えは簡単。他の動物はみな、なんとか自己調達しているのだ。

ほとんどの哺乳類は、ビタミンCを自分で合成できる。ところがヒトは作れない。しかも、合成する遺伝子まで持っているのにダメなのだ。悲しいかな、その遺伝子は壊れている。

ビタミンB12について言えば、多くの哺乳類はこれを自分では作れない。が、腸内細菌に作ってもらっているので大丈夫。ヒトは？　確かにヒトも腸内細菌に作ってもらっている。が、その細菌たちが住んでいるのは大腸であり、大腸は栄養を吸収できない。いくら作ってもらっても、すべてトイレに流される運命なのだ。もったいない！

ヒトは、直立二足歩行をするようになったので、腰に負担がかかり、椎間板《ついかんばん》ヘルニアになりやすい。これは、比較的よく知られている。しかし、このほかにも、膝《ひざ》の靭帯《じんたい》の強度不足、手首、足首の骨の過剰という設計ミスもある。

受精卵は次世代を担う大事な細胞なのだから、きちんと子宮に直行すべきだろうに、そうするすべを持っていない。だから子宮外妊娠が起きる。免疫は大事だが、自分自身の細胞を攻撃し始めるのは本末転倒。自己免疫疾患とは、まったく意味不明の反乱行為だ。

読めば読むほど、本当にもっとマシな設計ができなかったのかねと、欲求不満がつのる。しかし、人体も進化の産物なのだから仕方がない。進化は、合理的な目的を持って進むものではなく、その時、その場でうまくいったものが広がるという刹那《せつな》的プロセスなのだ。

本書は、進化がどのようにして人体を作り上げたのかを、サクセスストーリーではなく、失敗ストーリーで綴《つづ》る。読んで飽きず、納得させられ、さて、ではどうしようと考える。

Q10

なぜ人だけが文化を持ったのか？

ジョセフ・ヘンリック『文化がヒトを進化させた』を読む

ヒトという動物は、確かに優れている。この地球上のほとんどに分布し、石油などエネルギー源を自ら持ち、各地の生態系を改変している。では、一人の人間はどのくらい賢いのだろう？

私はと言えば、電車の運転はできないし、コンピューターを使ってはいるものの、たいしてプログラミングなどできない。最近は、車が壊れたって自分で直すなんて不可能だ。人間全体としては、もっとも優れた生物という評判を謳歌《おうか》しているのだろうが、私が一人で無人島に放り出されたら、ほとんど何もできない。本書には、こんな例が数多く収録されている。

ヒトは、強力な牙も爪もなく、か弱い存在だが、認知的にも、この瞬間に見たことをどれほど覚えているか、それに基づいてどれほど素早く、ある特定の作業ができるか、というような能力を個別に測ると、実際、大学生よりもチンパンジーの方が優れている。

この、個人としての無力さと、ヒト集団全体としての圧倒的な力との差は何なのだろう？それは、文化の力である。ヒトが世界を制覇できるのは、文化を持っているからだ、という意見は、かなり古くから提唱されてきた。しかし、文化とはいったい何で、どうしてこれほどヒトを強力にできるのだろう？

文化とは、ある社会集団の構成員が共有している知識の総体である。食物をどのように獲得するか、個人間の争いをどのようにして仲裁するか、死後の世界はどんなものだと思うか、何をしてはいけないか、どんな服装をするべきか、すべては、文化が決めている。それは、長い時間をかけて、その集団全体が蓄積し、改良してきた知恵の集大成である。だから門外漢が急によその土地に行っても生きられないのだ。

では、なぜヒトだけがこんな文化を持つことができるのだろう？　文化を持つために必要な能力とは何か？　ここで初めて、文化というものを獲得し、それに改訂を加え、さらに次世代に伝達していくために必要な、ヒト固有の生物学的本能の話になる。そう、赤ちゃんの真っ白な心に文化が何かを描き込んでいくと言っても、描き込めるための本能が赤ちゃんには必要なのだ。それは他者の表情や行為を観察し、お手本となる人のやり方をまねようとする能力だ。

だから、ヒトの優秀さのもとを解明しようとすれば、ヒトがどのように他者と知識を共有し、他者から学ぶのかの詳細を解明せねばならない。ヒトの行動や心理の説明としては、長らく、遺伝か環境かという、いわば不毛な論争が続いていた。本書は、私たちが今、この論争に最終的な決着をつけることができる可能性を示している。

Q11

遺骨を持ち出した責任をだれが取るのか？

松島泰勝＋木村朗編『大学による盗骨』を読む

明治から昭和にかけて、本土の自然人類学者たちが、アイヌと琉球の人々の遺骨を無断で持ち出し、大学の博物館などに収蔵してきた。他人の墓から勝手に骨を持ち出すのは、戦前から犯罪である。だから、当時の市町村などの許可は得てはいるのだが、家族などに話をつけたわけではない。当事者から見れば、勝手に持っていったのだ。

今やそんな時代ではない。が、遺骨返還の要望はずいぶん前からあるにもかかわらず、対応はまったく不十分だと、本書の著者たちは、心底怒っている。

私は、東京大学理学部生物学科の中にあった、人類学教室の出身である。四〇年近く前、私が学生だったころ、アイヌの骨を所蔵していると「過激派」アイヌの人々から脅迫されるなどということが、冗談のように語られ、だれも真剣に向き合おうとしていなかった。

今回、本書を手に取った理由は、このような過去の差別的収奪に関して、人類学者はどのように対応してきたのかを、自分の問題として考えたかったからだ。

私自身は、日本人の起源の研究はしていない。それでも、自然人類学にたずさわっている以上、自分の分野が過去の遺産に対してどんな対応をしているのか知るべきだと思ったのだ。

政府は、二〇一九年、アイヌ民族を日本の先住民族とし、その文化の継承を支援する法律を施行した。しかし、琉球に関しては何の判断もない。日本は長い間、先住民族の問題を無視し、単一民族神話を作り上げてきた。それゆえ、先住民族に関する政治的対応も、遅れていると言わざるを得ない。そして、本書を読む限り、研究者とアイヌや琉球の人々との間に、信頼関係が十分に築かれてきたとは思えないのだ。

本書は、先住民族の権利の問題に目を開かせてくれるとともに、互いに対等な関係で語り合い、人間としての信頼関係を築く、そういう地道な努力が必須であることを教えてくれる。

Q12 文明生活は人体をどのように変えたのか？

ヴァイバー・クリガン＝リード『サピエンス異変』を読む

一九世紀の産業革命時代、労働者の多くは、背骨が曲がったり、機械にはさまれてけがをしたりしていた。人体は生活を反映する。

では、二一世紀の快適な文明に暮らす私たちのからだはどうだろう？　日中のほとんどの時間、オフィスビルの椅子にすわってパソコンなどを使っている。美味《おい》しい物は安くふんだんに手に入る。おかげで、肥満や運動不足、近眼、腰痛が蔓延《まんえん》し、骨密度も低く、決して素晴らしいとは言えない。現代生活での不具合のほとんどは、私たちが欲する快適な生活こそが原因なのだ。それは、現代の文明生活が、私たちのからだが進化した舞台と、あまりにもかけ離れているからだ。

人類は、およそ八〇〇万年前に直立二足歩行する生物として進化した。私たちヒトであるホモ・サピエンスは、およそ三〇万年前に進化した。この間ずっと、ヒトは、毎日歩き回りながら食料を手に入れてきた。

それはどんな生活か？　獲物を追いかけたり、植物を探したりして、一日平均六時間ほど使う。活動のほとんどすべてが屋外で行われる。つまり、人体は、毎日移動する生活に適応したのだ。それが、農耕の発明によって定住が始まる。それでも、農耕や牧畜の労働は大変きついものだったので、初期農耕民の女性の骨密度は、現代人のアスリート並みだった。

本書は、私たち自身が生み出した文明生活によって、人体がどれほどの不自然を強いられ、足も腰も手も目も、どれほど変形したかを教えてくれる。とにもかくにも、人体は歩き回るようにできているのだ。一日八～一四・五キロメートル、一週間で一〇万歩が目安。ずっと座っているオフィスでの働き方を、「座業革命」と呼ぶのは言い得て妙。

人間の活動が地球環境を大規模に変えるようになった時代を、地質年代として「人新世《じんしんせい》」と呼ぶことになった。人新世の暮らしは、私たち自身に跳ね返ってきているという警告である。

Q13 これから人類はどこに向かうのか？

ユヴァル・ノア・ハラリ『ホモ・デウス（上・下）』を読む

今、あなたは幸せですか？　人類全体として見れば、私たちは大雑把に言って、戦争と飢饉《ききん》と疫病を克服した。これまでの長い歴史において、この三つがどれほど普通の人々の日常を不幸にしてきたことか。二一世紀の現在、数万年にわたる人類の懸案の問題が、一応解決されたのだ。

さて、それでは、これから私たちはどこに向かうのか？　これが本書の論点である。これまでの人類史の総まとめと、これからどうするかの未来予測をするための材料の提供だ。上下二冊に詰まった情報と考察のまばゆく華麗な提示。それを消化するには、いささかの体力と知力を要する。

戦争と飢饉と疫病をなくすことに成功したのは、科学と技術のおかげだ。では、この科学と技術で人類は次に何をめざすか？　おそらく、死という運命を克服することをめざすのではないか。それは、人間自らが神になることだ、というので「ホモ・デウス（デウスはラテン語で神）」である。

本書は、同じ著者による有名な前作『サピエンス全史』の続編である。人間が何を信じ、何に価値を求めてきたか、人類の精神史を描いてみせる技はさすがだ。宗教は、神の存在を想定し、神が教えてくれる世界の秩序に従っていることを善とした。近代科学はそれをくつがえし、人間自身こそが世界を知る力を持っているとした。

そうして人間は、人間自身の尊重と個人の自由を至高のものとするヒューマニズムを打ち立てた。それが、今の私たちの価値観なのだ。ところが、ＡＩ（人工知能）や生命工学などの現代の科学技術がこのまま進展していくと、ヒューマニズムの価値観そのものが壊されていく。

意識とは何か、「私」とは何かという問題は、生きていく上で非常に重要なはずだ。それらは、まだまだ明らかになっていない。ところが、どんな生命も社会システムも、意思決定のための情報処理アルゴリズムだと考えると、意識や「私」の問題は無視して、ヒトのやり方を上回るアルゴリズムを作ることができる。いや、もうすでに、そんなものが人々を魅了しつつある。不完全な人間が考えるより、アルゴリズムにまかせた方がよいのではないか。

うーむ、何かおかしい。アルゴリズムを評価するのはだれ？　意思決定を機械にまかせたら、人間の意識や「私」の感覚はどうなる？　結局、人間は人間をやめることになるのだろう。そんな世界で人々は、永遠に生きたいと願うのだろうか？　しかし、欲望自体も操作できる。現在はそんな時代の入り口だ。私たちは本当に何をしたいのか、立ち止まって議論する材料がいっぱいである。

著者のハラリは、ヒトという生物の進化を研究している自然人類学者ではない。言語による記録が残っている以後の歴史を研究する歴史学者である。しかし、『ホモ・デウス』に先立ちベストセラーとなった『サピエンス全史』のような、本来は自然人類学者が書くべき書物を著している。内容の詳細については、私の考えと合致しないところもいろいろあるが、こんな大きな構図で人類について語れる、語ろうとする(私よりも若い世代の)学者がいることは、大いに喜ばしい。

それにしても、このような大きなテーマで大きな視点を提供する書物が、なぜ日本では出てこないのだろう?

Q14

誤りにどう向き合うか？

呉勝浩『マトリョーシカ・ブラッド』を読む

薬害による死亡事件とその隠蔽《いんぺい》。それが話の中心だが、五年の時間をおいた連続殺人事件は、さまざまな人々の愛憎がからまって複雑に展開する。

警察官という職業は難しい。悪を暴いて世に正義をもたらすというのは大義名分。実際の現場では、権力闘争あり、他県との意地の張り合いあり、上の都合でもみ消されるものあり。この矛盾に直面して、自分が正しいと思うことをどうやって貫くか。「一筋縄ではいかない警察小説」と帯にある通り、その葛藤がよく描かれている。

誤りがない、という大前提をもって信頼されている組織なんておかしい。だから、誤りを隠そうとする隠蔽体質が生まれるのだ。

人間に誤りは必ずある。そこから出発すべきなのだ。それを隠そうとするとまた別の誤りを導くことになり、と誤りの入れ子構造になる。事件の手がかりの一つであるマトリョーシカは、それを象徴している。

Q15 なぜ「知ってるつもり」になるのか?

スティーブン・スローマン+フィリップ・ファーンバック『知ってるつもり』を読む

「水洗トイレはどういう仕組みか知っていますか」と聞かれたら、知っていると答える人が多い。では説明して、と言われると、ほとんどの人はできない。気候変動についても、保険制度についても、住宅ローンの金利についても。ところが、みんなよく知っていると思い込んでいる。

世界は複雑であり、私たちが世界を認知するのは行動するためだ。要は、うまく行動できればよいのであり、脳は、そうさせる装置として進化してきた。著者らは認知科学者で、人は世界をどう知り、どう知ったと思っているのか、多くの研究結果に基づいて説明してくれる。ある事柄について情報があり過ぎると、人々は聞きたがらず、必ずしも最適な判断には至らない。「専門家たちが解明した」と聞かされると、それだけで自分自身もわかったような気になる。こんな「知識の錯覚」を示すデータは、大変におもしろい。

しかし、本書の神髄はこの先だ。なぜこんな錯覚が起こるのかと言えば、世界に対する知識は、コミュニティーの各所に分散しており、みながそれを共有しているからなのだ。だれもが、どこかに専門家がいて、きちんと理解していることを知っている。そしてみな協力して分業・協業しているからこそ、社会はうまくいっているのだ。そして、みんな「自分が知ってるつもり」になっている。

だれも一人ではよくわからない。だれも、自分だけで判断してはいない。人間の知は、みんなが互いに協力し合ってなされる集合知なのである。孤高の天才が一人だけでできることなど、ほとんどない。

そうすると、教育も、個人の理解力を上げるばかりでなく、自分は何を知らないかを知り、どこに知識があるかを探る方法を知り、知識のある人たちと協力するすべを知ることに重点を置くべしとなる。認知のゆがみだけでなく、知識の構造について、新たな目を開かせてくれる好著である。

Q16 「人新世」とは何か？

クリストフ・ボヌイユ＋ジャン＝バティスト・フレソズ『人新世とは何か』を読む
安成哲三『地球気候学』を読む

地球が誕生したのは今からおよそ四六億年前。それ以後の地球の変遷は、「地質時代」に区分される。化石に残る生物が出現した、およそ五億四〇〇〇万年前ごろからが古生代。およそ二億五〇〇〇万年前に、大陸移動による衝突の衝撃で大絶滅が起こり、ここからが中生代で、六六〇〇万年前の恐竜大絶滅で中生代が終わる。そのあとが新生代。新生代は第三紀と第四紀に分けられ、その中もさらに細分化されている。今の私たちは、およそ一万年前に始まった「完新世」という時代に生きている、というのが常識。

　この地質時代は、地球のプレートの動きや大きな気候変動、生物相の大激変などによって区分されてきた。さて、「人新世《じんしんせい》」とは何か？　これは新たな提案である。最近の私たち人間が何をしているかを見てみよう。石炭・石油を燃やして二酸化炭素を大気中に野放図に放出している。石炭や石油に含まれる炭素は、本来、地中に埋まって外に出ることはなかったものを、人間が掘り出して燃やすから大気中の二酸化炭素濃度が上がる。人間は森林を伐採し、自然を大規模に改変し、自動車や飛行機を飛ばし、自然の循環に介入している。これはもう、人間の力が地質学的に無視できない状態になったということで、「人新世」だ。

この議論はしばらく前から提案されているのだが、『人新世とは何か』の著者らは、ちょっと待てと警告する。この論調で「人間」とひとくくりにして責任を問うのはおかしい。途上国と先進国では違うだろう。「人新世」にしたのはだれだ？　アメリカ人のだれもが自家用車を持つようになったのはなぜか？　一九世紀、二〇世紀のたび重なる戦争でさんざん環境を破壊したのはだれだ？　などなどの疑問をていねいに取り上げ、「物事がわかっている科学者が、欲望にまかせて資源を消費している大衆に対して警告する」というシナリオをぶち壊す。

第五章からあとがおもしろい。人新世と言ってもいいけれど、なんでも燃やしてエネルギーを得た「熱新世」でもいい。戦争で環境をばんばん破壊した「死新世」。みんなが欲望のかたまりになってしまった「貪食《どんしょく》新世」でもいい。わからないのに自信過剰の「無知新世」？　資本主義の悪魔がはびこる「資本新世」？

先進国の生活様式が、地球の自然に取り返しのつかない負荷を与えているのは事実だ。単に環境問題だ、保全だなどと言っている以上のものだ。環境問題は人間のあり方の話であり、科学も哲学も政治も経済も総動員して考えねばならない。フランス特有の小難しい、議論好きの論調で、読みやすくはないのだが、大事な視点を提供する労作である。

＊

これほど異常気象が続き、これほど実際の被害が頻発するようになっても、まだ、気候変動はウソである、と主張し続ける学者はいるのだろうか？　私たちヒトは、石炭、石油、原子力を利用することで自前のエネルギー源を持った結果、普通の生物としての「分相応《ぶんそうおう》」を超えて地球表面を改変するようになった。それで、人新世という新たな概念を導入しようという提案もなされているのである。

ボヌイユとフレゾスによる著作は、フランス的書物スタイルということもあり、必ずしもわかりやすい書物とは言えないと感じる。ここで私が新たに紹介したい、安成哲三氏の『地球気候学』は、堅実な学問的成果を基に、地球全体の気候と生態系の変化を論じた好著である。これも決して一般向けのポピュラー・サイエンスの書物とは言えないものの、日本の学者による真摯《しんし》な業績である。

Q17

料理はヒトの脳を大きくしたのか？

リチャード・ランガム『火の賜物』を読む

あなたは料理が好きだろうか？　料理した温かい食べ物が好きだろうか？　生でもおいしいものはあるが、毎日、火を通さない冷たいものばかり食べていたら、不満足ではないだろうか？　本書は人類学者が、火と料理がどれほど大事であるかを論じたものである。

本書は、「人類進化に火が重要な役割を果たした」と述べているのではない。「火の使用によってヒトになった」と述べているのである。この違いは大きい。それゆえに、本書は旧説の蒸し返しではなく、新たな人類進化論になっている。

多くの人は、火の使用と料理は、人類が大きな脳を持った結果であると考えているだろう。著者は逆で、ヒトは料理をしたからこそ、頭が大きくなったと主張する。それは、脳が、たいへん高価な器官だからだ。ヒトの脳は、重さでは体重の二・五％しかないが、エネルギーの二〇％を使っている。大きな脳を持つのが有利だったとしても、では、どうやって脳を大きくできるのか？　人類の祖先はチンパンジーと同じような、生の果実や葉を食べている類人猿だった。そのころの人類の祖先の脳は四〇〇cc前後。今や一三五〇cc。ここまで大きくするには、よほどたくさん食べねばならないに違いない。

そこで、ヒトの消化器官を見ると、類人猿よりもずっと小さい。これはパラドクスだ。では、食物分解のプロセスはどうか。どう見ても、ヒトは、生の食べ物だけでは十分なカロリーが得られない。ヒトのからだは、料理した食べ物に適応しているのである。さまざまな証拠から、著書は、それが起こったのはおよそ二〇〇万年前だと論じている。

そして、料理は男女の分業を生み、家族の絆を生み、社会の団結を生み、道徳を生む、と著者は論じる。細かい点には異論も多いだろうが、「料理」を人間の進化の中心にすえて見ると、新たにさまざまな考察が出てくる。

そうだとすると、電子レンジやコンビニの普及で、「炉」と「料理」の実態が様変わりした現代、家族の絆や社会の団結などなどはどうなるのか？　ある種の示唆に富んでいておもしろい。

Q18

ホモ・サピエンスはどのようにアフリカを出たのか？

スティーヴン・オッペンハイマー『人類の足跡10万年全史』を読む

私たちはホモ・サピエンスという動物である。この動物は、どこから、どのように進化してきたのだろうか？「人類」というと、およそ六〇〇万年前に出現した直立二足歩行する霊長類すべてを含む。しかし、そこまでの大昔のことはともかく、もっとも興味深いのは私たち自身の直接の出自である。本書は、そこに焦点を当てた壮大な科学的物語だ。

壮大である理由は、この問題を再構築するにあたって必要な知識が、著者が専門とする遺伝子の解析にとどまらず、古環境学、先史学、民族学、言語学など、実に多岐にわたるからだ。科学的物語と言ったのは、そうやって紡ぎ出した物語が、単なるお話ではなく、これら多岐にわたる断片的証拠のすべてをもっとも、科学的、合理的につなぎ合わせることのできる良質の考察だからだ。

ホモ・サピエンスのおおもとは、およそ一五万年前にアフリカで生じた数千人規模の集団だった。七〇数億の現代人のすべてが、このアフリカ人の子孫であるというのは驚くべき事実である。では、ホモ・サピエンスの小集団は、どういうルートでアフリカを出て広がったのだろう？

これまでは、シナイ半島のあたりから中東、ユーラシアへ広がったと考えられていた。しかし、そうではないらしい。八万年以上も前に、ソマリアの先、紅海の一番狭いところからアラビア半島に渡り、海岸沿いにインドネシア、オーストラリアまで広がったと考えられるのだ。遺伝子の解析と考古学、形質人類学などの証拠をつなげて、この「南ルート」仮説を実証していくところは本書の中心部分であり、知的興奮に満ちている。

本書の大部分は、サピエンスの過去について述べているのだが、ぜひ、最後まで読んで欲しい。最後の部分では、私たちの現在と未来に関する考察が示されている。全体としてみた現代人は、非常に均一である。この多様性の少なさが、将来の人類進化に意味するところは何か。脳はこれ以上に進化することはなく、文化という新しい情報伝達と環境改変の装置を身につけた私たちは、どこへ向かうのか。過去を再構成する知識から、現在と未来を考える糧が示されて興味深い。

Q19 意識は文化の産物なのか？

ジュリアン・ジェインズ『神々の沈黙』を読む

多くの人は、自分のことは自分でわかっていると考えている。そうではないかもしれないと言われると、居心地が悪く感じるだろう。自分を自分で見る目が意識である。しかし、本当のところ、意識にのぼっている事柄など、人間がおこなったり「判断」したりしている事柄の総量のうち、氷山の一角に過ぎないのだ。では、なぜ意識などあるのか。意識の起源と進化は、現代の認知科学や心理学で、もっとも難しい問題である。

本書は、基本的には、右脳と左脳の働きの違いと、言語が思考に果たす役割の話である。著者は、ギリシャをはじめとする古代文明の人間たちが何を考え、感じていたかを分析する。そして、現在の私たちが持っているような形の意識は、古代文明の時代には存在しなかったと結論する。つまり、意識は、ここ五〇〇〇年ほどの歴史的状況が生み出した、文化の産物だということだ。それでは、古代人たちはどのように感じていたのだろう？ 著者は、「二分心」という言葉を使う。右半球と左半球とがかなり分離し、右半球が「神」の声を聞き、それを左半球に言葉として伝えていた。神の声が彼らを操り、彼らに意識はなかった。

と、ここまで聞いて興味を覚えた方は、この大著にとりかかってみて欲しい。それなりに興味深い分析が満載されている。訳者は、この主張は、最初は眉唾《まゆつば》だと感じるかもしれないが、読み進むうちに、そうに違いないと納得するようになると、あとがきに書いている。

脳自体に変化が起こらなくても、脳が育つ環境が変われば人間の思考形態がおおいに変わる、というのは本当だ。しかし、著者のメインの主張には、私はまったく納得しなかった。チンパンジーは鏡に映った自分がわかる。自分の身を装飾で飾るには、自分を見る自分が必要だろうが、それは数万年前から存在する。これらの事実は、私は重要だと思うが、本書ではまったく触れられていない。古代ギリシャや聖書の記述を中心に、「人間は」と言われると、日本人はそう考えない、と反論したくもなる。最終的な判断は、読者のみなさんにまかせよう。

Q20

遺伝子改変で人間は幸せになれるのか？

グレゴリー・ストック『それでもヒトは人体を改変する』を読む
青野由利『ゲノム編集の光と闇』を読む

ヒトゲノム計画が終了したのは、もうかなり前のことだ。やがてはヒトの遺伝子のすべてが解明されるときが確実にくる。一方、不妊治療の名のもとに、体内から卵を抽出したり、人工授精した胚を着床させたりする技術も確実に進んでいる。また、ドリーに象徴されるようなクローン技術を初めとする、胚に手を加える技術も、これまた日進月歩である。

この三つの技術が一同に会したとき、何が起こるだろうか？　それは、必然的にヒトの遺伝子改変であると、『それでもヒトは人体を改変する』の著者は言う。現在のところ、研究者たちのほとんどは、ヒトの卵や精子の遺伝子を改変しようとは思っていない。しかし、必然的にそうなるだろうし、世間の不安にもかかわらず、それはよい選択肢だというのが、著者の主張である。

胚の段階で遺伝子を変える、俗にいう「デザイナー・ベビー」の作成に関しては、さまざまな点から反対が表明されている。著者は、それらの一つ一つをとりあげ、ていねいに検討した上で、そのような危惧の大部分は、現在の未熟な技術に伴う危険や不確実性を、そのまま将来にも当てはめた、無意味な議論だと結論する。技術的な問題を扱った部分については、それらは、おおむね説得力がある。確かに、遺伝子の作用が正確にわかり、安価で安全な遺伝子改良技術が出回るときには、現在とは、状況はおおいに異なるだろう。

しかし、セックスは完全に快楽のためであり、子どもを持とうと思ったときには病院に行って、「第七染色体はバージョン五・九でお願いします」というように、親の勝手で遺伝子改変した子どもを持つという社会が訪れ、本当に人々はそれで幸せになるのだろうか？　著者はなると思っている。

それは私の好みではないという感覚は、何なのだろう？　人間の幸せとは、著者が多用しているパソコンのバージョン・アップの比喩で尽くせるものではないという感覚だ。私は、不可知のもとでの努力と諦めに意味を見出したい。遺伝子改変に慎重論が多い中、断固賛成派からの一撃である。さあ、どう思います？

＊

ストックの著作が出版されたのは二〇〇三年。当時もこのような議論はなされていたわけだが、その後の進展がすごい。とくに二〇一三年にクリスパーキャス9という、これまでとは比べ物にならないほど正確に、格安に、簡単に、遺伝子の配列を編集する技術が発表されて以後、事態は激変した。そして、二〇二〇年のノーベル化学賞は、このクリスパーキャス9の創設者である、ジェニファー・ダウドナとエマニュエル・シャルパンティエに送られることになった。

なんと二〇一八年には、中国の科学者が、この技術を使って受精卵に遺伝子編集を施した胚を作成し、実際に双子の女の子が生まれた、と発表した。遺伝子改変の技術をヒトに応用することの是非については激しい議論がなされている最中であり、受精卵の遺伝子を変えることは、ほとんどの国で禁止されている。それにもかかわらず、こんな研究が発表されたので、世界中から非難の声が上がった。

最近の遺伝子編集技術がどこまで来ているのか、どんな倫理問題があるのかについて、ぜひ、青野由利氏の『ゲノム編集の光と闇』を読んでほしい。日進月歩のこの分野は、人間をどこに連れて行くのだろう？　立ち止まって考えるには時間がかかるのに、技術はどんどん進んでいく。

ところで、先の研究発表をした中国の科学者は、現在、行方不明である。中国政府も、こんな研究は違法だ、中国政府はこの研究を支援していない、などと発表したが、疑惑ももたれている。

Q21 ハンチントン病にどう向き合うか？

アリス・ウェクスラー『ウェクスラー家の選択』を読む

自分がいつか、致死的な病気になるかもしれないという恐怖と共に生きるとは、どんなことだろう？　今は元気でも、やがて変調が訪れ、正常な生活が困難になる。それは一〇年後か、二〇年後か？

ハンチントン病とは、そのような病気の一つだ。中年以降に発症し、徐々に筋肉運動の制御が困難になり、精神にも異常をきたして死に至る。優性遺伝なので、病気の親からその遺伝子を一つもらえば発病するが、親からその遺伝子をもらう確率は二分の一である。

本書は、ハンチントン病の母親をもった姉妹が、父親とともに、この病気の遺伝子をつきとめるための研究財団を立ち上げ、患者の家族たちのネットワークを作り、そしてついに遺伝子が発見されるまでをたどった記録だ。著者は、当の姉妹のうちの一人。つまりこれは、この遺伝病の影におびえる当人自身によって語られる、家族の葛藤と協力、遺伝子診断への信頼と不安の赤裸々な物語である。

著者の母親は、家系に伝わる病気のことを隠していた。第二次大戦前に生物学の修士号までとった聡明な女性であったが、やはり古い世代の女性だった。父親は精神分析家で、研究と診療の双方に秀でていた。妻がだんだんに人格崩壊していく中、やがて離婚する。

この両親のもとに生まれた姉妹は、ともに学問の道に進みながら、自立した新しい女性として成長していく。自分がハンチントン病かもしれないという事実は、その中で決定的な役割を果たした。彼女らは、運命に翻弄されることを拒否し、団結して、この遺伝子に立ち向かう道を選んだのだ。

彼女らが組織した財団の研究成果により、ハンチントン病の遺伝子は、第四染色体の短腕上にあることがついに突き止められた。この知識をもとに、遺伝子治療の可能性も夢ではなくなった。

本書を読むと、著者らの精神の中にはっきりと貫かれている一つの柱のようなものを感じる。それは、人間の理性への信頼、大きく言えば、人間性の礼賛であろう。それは、人間のおごりと紙一重かもしれないが、他者に力を与える、すがすがしい強さである。

Q22

人類進化の大スターとは?

イヴ・コパン『ルーシーの膝』を読む

本書のカバーに載せられたルーシーの全身骨格とその復元図が、たいへん印象的である。この、復元されたルーシーの顔と視線に、私はすっかり魅せられてしまった。

ルーシーとは、およそ三二〇万年前のエチオピアの地層から発掘された、人類の祖先の化石である。学名は、アウストラロピテクス・アファレンシスというが、発見されたときに当事者たちが何度もかけていたビートルズの曲の題名から、ルーシーという愛称で呼ばれるようになった。彼女は、ヒトの祖先としてもっとも古い化石の一つであり、人類進化の大スターの一人である。

本書の著者は、そのルーシーを発掘したメンバーの一人だ。およそ三〇〇万年前頃に、アフリカの東側で起きた大規模な気候の乾燥化が、二本足で歩くヒトの進化を促したという説を提出したことでも有名である。彼は、このことを、ミュージカルのウェストサイド・ストーリーをもじって、イーストサイド・ストーリーと名づけている。

私たち人類の祖先はどんな生き物で、どのようにして進化してきたのだろうか? これは、だれもが知りたいに違いない。しかし、それは複雑で、決してわかりやすいものではない。本書は、ルーシーという画期的な化石の発掘にたずさわった人類学者が、自分の長年の研究を振り返りつつ、人類六〇〇万年の壮大な歴史を物語ったものである。さまざまな意見の違いに対し、自分の思い入れを極力抑えて客観的に述べているが、なおかつ、現場での生き生きとした経験と自伝が盛り込まれていて臨場感にあふれている。

人類進化の解明は科学であるが、研究者の世界観が陰に陽に影響を及ぼし、理論が物語となる危険性をはらむ。ネアンデルタール人はこれまで、実際よりもずっと野蛮に描かれてきたが、それも、大部分は偏見の産物であった。本書は、ルーシーがどのように復元されてきたかの変遷を通して、私たちが人類の先祖に抱くイメージそのものも検討している。

本書を読んだあとには、カバーのルーシー像にますます共感を覚えるようになるに違いない。

＊

チンパンジーの系統と分かれて、常習的に直立二足歩行する人類という生物が誕生したのは、遺伝子の解析によれば、およそ七〇〇万年前である。しかし、化石人類として最古のものは、長らく、せいぜい四〇〇万年ぐらいまでしか遡れなかった。東アフリカで発掘されたアウストラロピテクス・アファレンシスの化石、通称ルーシーは、その代表である。

しかし、エチオピアのアファールで発掘されたアルディピテクス・ラミドゥスは、ルーシーよりも古く、形態も異なっているので、人類の祖先についてのそれまでの常識の一部が覆された。そのまとめの研究発表は二〇〇九年である。

そして、二〇〇一年に発見されたサヘラントロプス・チャデンシスという化石がある。愛称はトゥーマイ。この化石は、頭蓋骨だけしかないのだが、背骨が頭と接続する大後頭孔《だいこうとうこう》と呼ばれる部分が頭の真下についていたので、直立二足歩行していたと考えられる。そこで、トゥーマイを人類の祖先とすると、これはおよそ七〇〇万年前のものなので、まさに最古の化石だ。

さらに、トゥーマイが発見されたのは、ルーシーの故郷などのような東アフリカではない。チャデンシスという種名が示す通り、チャド共和国の北部である。ずいぶん西の方だ。もしこの化石が本当に人類の祖先だとしたら、イヴ・コパンが主張するような、イーストサイド・ストーリーは成り立たなくなる。

また、トゥーマイが住んでいた場所を詳しく調べると、どうも、湿地や湖の多い森林の中なのだ。これまで、乾燥した東アフリカのサバンナに進出していったことで、直立二足歩行が進化したと考えられていたが、そうではなくて、森林の中で進化した可能性がある。そうなると、人類水生説も本気で考えられるかもしれないということになり、興味深い。

Q23

水生類人猿仮説とは何か？

エレイン・モーガン『女の由来』を読む

以前、ロンドン大学経済学大学院（ＬＳＥ）科学哲学教室にいたとき、一人の院生が、「水生類人猿仮説」というのは信ぴょう性があるのか、と質問した。

問題は、人類の起源である。人類という生物はいつ、どこで、どうして出現したのだろうか？ これは、人類学のもっとも大きな課題の一つであり、いまだに論争は絶えない。

通説となっているのは、人類はアフリカの森林からサバンナに進出したときに、移動のエネルギー効率の点でも体温調節の点でも最適であったから、直立二足歩行する霊長類になったというものである。

しかし、もう数十年前、実は、もう一つの仮説が提出されていた。それは、人類は、そのもっとも初期の段階で水の中で暮らす生活様式を採用したことにより、直立二足歩行のみならず、体毛の減少、涙、長い髪の毛などの特徴を身に付けたという説である。これが、水生類人猿仮説である。

この説を最初に考えついたのは、オックスフォード大学生理学教授のアリスター・ハーディである。しかし、これを徹底的に追求して、権威のあるサバンナ仮説とはまったく異なる説として精密に論考したのは、学者でもなんでもない、しかし、こんなことの探求に興味を持った知的な女性であった。彼女は、エレイン・モーガン。その著作が『女の由来』である。

本書のオリジナルは、一九七二年に出版されている。私がまだ学部学生であったころだ。そのころの私は教養もなく、「女の由来」という題名に込められた著者の思いも、それほど強く実感することもなかった。

ダーウィンが「人間の由来」を書いたのは、一八七一年であった。この「人間」は、英語で「man」である。これは、同時に男性だけをさす言葉でもあるので、著者のエレイン・モーガンは、もっと女性の特徴に焦点をあてて、人類の進化を考察した。それがハーディの考えを精密化したものであり、ことさらに「女の由来」と銘打った理由でもあった。

「水生類人猿仮説」が正しいかどうかは、わからない。しかし、この仮説は、これまで不当に無視されてきた。その理由は、単に著者が学者ではないということによるらしい。

もう数十年も前に、わからないながら私はこの説にひかれた。こうして新しい版でまた見る機会を持つと、学説とはどうやって評価されるのか、考えるところひとしおである。

Q24

なぜ文化は人から人へ移るのか?

スーザン・ブラックモア『ミーム・マシーンとしての私(上・下)』を読む

以前、古本屋で、ある本を見つけた。欲しかったのだが、高かったこともあってそのときは買わなかった。しばらくたってから、やはり欲しくなってもう一度見に行ったが、もうなかった。以来、二度と見つけられずにいる。このときの経験から、欲しいと思っていて見つけた古本は、(予算が許す限り)その場で買うようにしている。

新刊の本でも、店頭から姿を消すのはわりと早いので、これと思ったものはみな買っておく。かくして、家中本だらけ。足の踏み場もなくなり、本を置くためにこそ、家を建てたり借りたりするはめになる。

手に入れた本は、すぐに読んでしまうわけではない。そういう場合もあるが、「もう私のもの」とにやにやしながら本棚に置いておき、ゆっくり読める休みが来るまで、楽しみにとっておくこともある。そこで、実際に読むのは、何年もたってからになることすらある。

その間にも、我が家に到着する本は増え続けるので、読むものがなくなることは絶対にない。この分だと、これから先の人生で読むペースをもっと速めていかないと、手に入れたものを死ぬまでにすべて楽しむことはできなくなるだろう。でも、それでもよいのだ。

本には、そんな奇妙な魅力がある。もちろん、読むのもいいが、読まなくても、手に取って慈しみ、ぱらぱらとめくって拾い読みし、きちんと読んだあかつきには、また新しい世界が開けるだろうという予感を楽しむ、それもまたよい。

本に書かれていることは、著者が作り出した独自の世界である。それ自体は、本が複製されることによって広まっていくが、アイデアの世界は、それを読んだ人の頭の中に複製されていく。書物のみならず、私たちの頭の中には、他人が生みだしたアイデアがたくさん住みついている。それが、文化と言われるものだ。

『ミーム・マシーンとしての私（上・下）』は、この文化というものが、なぜあるのか、どうして人から人へと移るのか、移るときに何が起こるか、人間と文化の独自の関係を、生物進化の考えをもとに分析している。

文化の複製は遺伝子の複製と似てはいるが非なるものだ。一見とらえどころのない文化というものを、このアプローチで解明できるか、これは刺激的な挑戦の書である。

Q25

なぜ不必要な贅沢品は売れるのか？

ロジャー・メイソン『顕示的消費の経済学』を読む

私たちはなぜものを買うのか？　それが何かの役に立つからだろうか。それもあるが、それだけではない。豪華なシャンデリアやスポーツカーなどは、明かりや移動の手段としてならば、そんなものでなくても十分である。だれもが知っているように、人々は実質的な効用を生み出すものばかりを買うのではない。富の見せびらかし、虚栄心の満足、趣味の品など、直接の効用とは関係のないものに対する欲求は、消費の大きな部分を占めている。

このことは、経済学では顕示的消費と呼ばれてきた。本書は、顕示的消費がいつの時代にも経済活動の重要な部分を占めていたにもかかわらず、そして、それは気づかれていたにもかかわらず、経済学の本流の考察からはつねに排除されてきたことをふり返った、経済学史の分析である。

それによれば、これまでにも顕示的消費を認識し、評価を加えた経済学者はいた。しかし、これまでの西欧の経済学では、顕示的消費が道徳的に悪であるかどうかという議論はあったものの、顕示的消費の心理をまともに経済理論に組み込むことはなかった。

なぜなら、経済学は人間を合理的存在とみなし、効用に基づく合理的意思決定のプロセスのみを数学的に扱うことに先鋭化していったからである。ところが、人間はそんなに合理的な存在ではない。とくに一九七〇年代以降、多くの人々がブランド志向に走るようになり、消費行動の理解には、非合理的な対人効果の要素の分析がますます重要になってきている。そこで、経済学は人間性を包括的にとらえきれないでいるのだ。

著者は、このような経済学の姿勢を危惧《きぐ》し、人間行動をもっと総合的に理解するために、経済学が、心理学や人類学などの他の学問分野と交流せねばならないことを訴えている。その議論には、説得力がある。進化生物学者の私が本書に注目するのは、経済学を始めとする社会系の学問が、人間のとらえ方のより根本的な再検討をせまられていることを、本書が示唆しているからである。

Q26

人類の不平等の原因とは?

ジャレド・ダイアモンド『銃・病原菌・鉄(上・下)』を読む

世界史は、ある民族が他の民族を征服し、支配する歴史に満ちている。では、なぜ歴史はこのように進んだのだろうか? 学校では、そんなことは習わない。

世界史がなぜこれ以外の道筋をとらなかったのかと問うことは、無意味だと思われるかもしれない。しかし、なぜ南北アメリカはヨーロッパ人の侵入で征服されてしまい、その逆ではなかったのか、なぜごく最近まで狩猟採集生活をしていた人々がいる一方で、あふれる物質文明を持っている人々がいるのか、人類史におけるこの不平等の原因は何なのか、じっくりと考えてみる価値はおおいにあるだろう。

著者は、研究の一環としてニューギニアの人々と親しくつきあい、人間の文化の多様性に興味を持つようになった。そして、世界史の道筋に関する先ほどの疑問に対し、なんとか科学的な答えを見いだそうとしてきた。題名の通り、ある文明が他の文明を征服できた直接の原因は、武器や道具の優越であり、抵抗力のない先住民への新たな病原菌の持ち込みであった。しかし、勝った側はなぜそうして勝てたのか?

世界にこのような不平等が生じたことに対する著者の答えは、それぞれの大陸や島ごとに、家畜化可能な動物や栽培可能な植物がもともとあったかどうか、文化の伝搬《でんぱん》に適した地形であったかどうかといった、環境の違いに根差しているというものである。たとえば、馬は非常に有用な家畜であるが、こんな家畜になれる動物がもともと生息していたおかげでユーラシア大陸の住民は多大な恩恵をこうむった。それに引き換え、南米のリャマやバクはなかなか家畜化できない動物である。この動物相の違いが、のちのちの両大陸の文明の道筋を大幅に左右した一因だと著者は言う。

豊かな物質文明を手にした私たちは、そうでない文化の人々よりも優れていると思いがちだ。しかし、それは錯覚であり、おごりである。生態学的な偶然がどのように社会の発展の道筋を決めたか。科学的な分析による文明論は、世界史にこれまでとは異なる視点を開かせてくれた。

Q27
人間が持つ二つの本能とは?

マット・リドレー『徳の起源』を読む

もし、あなたが火星の出版社から地球の生物について書いてくれと依頼されたら、ヒトとはどんな特徴を持つ動物だと書くだろうか?

本書の著者は、それは個体どうしが複雑に関係しあっている大集団のなかで生活すること、すなわち社会性であると言う。ヒト以外の生物で、血のつながりのない個体どうしが力をあわせて村や都市や国家といった共同体社会を築く種はない。これほど他者を思いやり、他者に共感し、相互扶助する動物はいない。

人の特徴を社会的存在と見ること自体は、なにも目新しいことではない。では、なぜ人間だけがこれほど互恵的な社会を進化させたのだろうか。

本書の狙いは、過去一〇年あまりの間に大発展をとげた、協力行動の起源についての研究を見渡し、社会性が人の本性のうちにあることを示すことにある。

元エコノミスト誌の科学記者である著者のサーベイは、進化ゲームによるシミュレーション、狩猟採集社会における食物資源の分配、霊長類の同盟行動、ヒトの社会行動の認知メカニズム、質問紙法などで人々の意思決定のプロセスを探る新しい分野である実験経済学などじつに多岐にわたる。本書を通して、読者は、社会科学と自然科学が今日どれほど活発に交流しはじめたかを知ることができるだろう。

とくに囚人のジレンマを題材にしたシミュレーション研究と、伝統社会における互恵的行動の研究の著しい発展については、非常によくまとめられている。ただし、扱う領域が広い分だけ、一般読者には説明の足りないところもある。

人間は、公益を高めようとする本能と、自己利益を高め反社会的行動に走ろうとする本能をあわせ持つ。そこで、前者の本能を奨励し後者の本能を抑えるように社会をデザインしなければならない、と著者は主張する。自由競争原理だけでも、公徳心の押しつけだけでも、それは実現できないことを本書は明瞭に示している。では、どう選択すべきか。私たちがこれから解決すべき課題である。

Q28

デカルトは間違っていたのか？

A・R・ダマシオ『生存する脳』を読む

一八四八年、北アメリカ東部で鉄道工事をしていた二五歳の青年フィネアス・ゲージは、突然の爆発で鉄棒が脳を貫通するという大事故にあった。抗生物質もない時代だったが、医師の適切な処置により一命をとりとめた彼は、言語能力も計算能力も損傷はなく、記憶も、ものごとの理解も損なわれてはいなかった。しかし、一つだけ変わったことがあった。人望のあつい好青年だったゲージは性格が変わり、粗暴で下品、もはやもとのゲージではなくなってしまったのである。

本書の著者アントニオ・ダマシオは、妻であり同僚であるハンナ・ダマシオとともに、ゲージのような脳損傷の症例を多数研究してきた著名な認知神経学者である。さまざまな患者の症例をもとに、心は本当はどのように働いているのかを探ろうとしてきた。これは、その彼の仮説を展開した、やや難解だが非常に興味深い、理性と感情の関係の解説書である。

本書の原題は「デカルトの誤り」である。なぜ、誤りか。一七世紀近代科学の形成に大きな役割を果たした哲学者デカルトは、心と身体を峻別《しゅんべつ》する心身二元論を確立することによって客観的な科学の基礎を築いた。しかし、この二元論は、理性と感情とを対立するものとみなす。感情は理性と関係なく、ときどき理性を曇らせる、原始的な情動の名残《なごり》にすぎないという見方を植えつけてしまった。ダマシオは、近代のこの通念に挑戦する。

ゲージの症例は、脳の働きについて深い洞察を与えてくれる。いわゆる認知能力全般に損傷がなくても、それだけでは人は「理性的」に振る舞うことができないのだ。人が日常生活を円滑に行うには、感情を感じ、からだの感覚のフィードバックがあることが不可欠なのである。ゲージにはそれがなくなってしまった。

からだの感覚がなければ、適切に自己を把握することもできない。脳はからだであり、心はからだをもとに出現するということを、本書は最新の知見から明らかにしていく。理性を「理づめ」で理解しようとしてきた時代が終わろうとしている。

Q29

なぜ幻肢が生じるのか？

V・S・ラマチャンドラン＋サンドラ・ブレイクスリー『脳のなかの幽霊』を読む
オリバー・サックス『妻を帽子とまちがえた男』を読む

もう何年も前、アフリカでチンパンジーの研究をしていたころ、調査地では、ガラス窓のない泥壁の小屋に住んでいた。ある日、調査を終えて夕方帰宅したとき、薄暗い室内に入ったとたんに、なんとはなしに「おかしいな」と思った。そして、少し怖い気がした。あらためて薄暗い室内を見渡し、何分もたったあとでやっと、ベッドの上に大きなヘビがとぐろを巻いているのに気づいたのである。

あのとき、私はなぜ部屋に入った瞬間におかしいと思ったのだろう？　このようなものを第六感と呼んだりするが、実は、これも脳の働き方から説明がつくのである（答えは『脳のなかの幽霊』の中にあります）。

著者のラマチャンドランは、アメリカの著名な認知神経学者である。手足を切断したあとにも、まだそれが存在するという鮮明な感覚が続くことがあり、「幻肢」と呼ばれている。さらには、幻肢がひどく痛むこともある。なにしろ本当は存在しないのだから、幻肢の痛みを取り除くことは並大抵ではない。著者は、幻肢の感覚がなぜ生じるのかを研究し、きわめて簡単な装置を用いてこれを消滅させることに成功した。史上初の「幻肢の切除手術」に成功したのである。

本書は、著者が出会い、研究したさまざまな脳疾患の患者の例から、脳がどのようにこの世界を認識し、自分のからだをモニターし、自分という意識を作り出しているかを、たいへんに興味深く紹介したものである。話はどれも、正真正銘おもしろい。そして、難しい脳の働き方をわかりやすく解説すると同時に、科学という仕事はどのように未知の問題に取り組む作業なのかということも、浮き彫りにしている。

著者は、細かなメカニズムの解明を扱いながら、脳がどのようにして進化してきたのかという大きな視点をつねに保つようにしている。こういう人は、実験生物学者としては珍しい。彼の進化の議論の中には、私には不満足なものもあるが、優れた実験生物学者にこういう態度の人がいてこそ、細かい話と大きな話の統合が見えてくるのである。

＊

ラマチャンドランは、本当におもしろい研究をしていて、それを本当におもしろく伝えることのできる研究者である。当代一流の脳科学者としての、臨床研究を含めた考察は実におもしろい。

その意味では、オリバー・サックスという学者も、ヒトの脳が生み出すさまざまな奇妙な現象を通して、ヒトの本質に迫る考察を行った。『妻を帽子とまちがえた男』に始まる、オリバー・サックスの一連の著作についても、ぜひここで言及しておきたい。脳がどのようにして、私たちを現実に対応するようにさせているのか、その一部が壊れた時に、私たちの現実対応はどうなるのか、それを本人はどう感じるのか、さまざまな臨床例を通して私たちに教えてくれる。私だって、いつ脳のどこかが壊れ、「正常」と思われている人たちから見れば奇妙な言動をし始めるかもしれない。九五歳を優に超えた私の父親の言動を見ても、人間の脳の不思議さは計り知れない。

Q30

ヒトの能力の特殊性とは？

T・W・ディーコン『ヒトはいかにして人となったか』を読む

私たちはどこから来てどこへ行くのか？　これは、人類に関するもっとも大きな究極的問いの一つである。それは、たいへんに大きな疑問であり、もしかしたら、私たち人類が絶滅してしまう前に解決を見ることはないかもしれない。

しかし、そもそも、こんなことを考えようとすること自体、人類という動物の特殊性を表している。他の動物は、どこで餌《えさ》をとるか、だれと配偶するか、だれとだれが仲良しかといったことには十分に注意するだろうが、死とはなんだろう、宇宙の果てはどこだろう、物質の究極の単位はなんだろう、などということは、（おそらく）考えない。

本書は、このような人間という生き物の特殊性の根源が、ものごとをシンボル化して表す能力にあったとし、ヒトに特有のさまざまな能力がそこから派生してきたことを説くものである。著者は、ヒトという生物の進化の歴史を探る自然人類学の中でも、脳と認知過程の研究で世界的に注目されている若手の一人であり、斬新《ざんしん》なアイデアを豊富に提供している。

一昔前には、脳を、極端にすぐれたコンピューターにたとえるのがはやっていた。しかし、コンピューターがどんなに進んでも、ヒトの脳があたりまえに行っている数々の仕事をこなせるようにはならない。たとえば、コンピューターは、瞬時にして他人の気分を見抜くことも、冗談を笑うこともできない。顔の識別も声の識別も、生身の人間に比べてずっと劣る。

そこで、脳とは、単なるメモリーと計算に基づいてなんでもこなせる機械なのではなく、生き物としての必要から生み出された特殊な器官だということが強調されるようになった。しかし、著者は、ヒトがものごとをシンボル化できるようになったときから、ある意味で、脳はなんでもこなせる機械になったのではないか、シンボルが理解できるということこそが、言語を始めとするヒトに特有の能力の根源となったのではないかと論じている。発表以来、多くの研究者からけなされたりほめられたりした労作である。

III

生物学をめぐるQ

Q31 生命の美しさとは何か？

更科功『若い読者に贈る美しい生物学講義』を読む

地味ながら、とても楽しい本だ。生物とは何だろう？　少なくとも地球上の生物については（1）膜で囲まれており、（2）その膜を通してエネルギーと物質を出し入れし、つまり代謝を行い、（3）自分と同じものを複製する、という存在である。

そういう生物が、この地球でおよそ四〇億年前に生まれ、以後、いろいろな種に分かれ、絶滅もしながら現在に至ってきた。では、生物はどんな仕組みで生きて進化してきたのだろう？

本書は、膜の構造、代謝と発生と複製の仕組み、そして進化という、生物の本質について、現在わかっていることを平易に解説している。もちろん、章立てはあるのだが、どこから読み始めても惹《ひ》きつけられておもしろい。

高校までの生物の授業がつまらなかった大人たちも、今、つまらないと思っている生徒たちも、本書を読めば生命の美しさに感動し、もっと知りたいと思うと、私は確信する。

Q32 巨大カマキリとの一騎打ちのゆくえは？

荻原浩『楽園の真下』を読む

ロイコクロリディウムという寄生虫がいる。カタツムリなどの触角に寄生する吸虫の仲間で、宿主のカタツムリの行動を制御し、日なたに出て鳥に食われやすくする。寄生されたカタツムリの、うにょうにょと動く触角はまるでイモムシのようで、鳥はそれをつついて食べる。吸虫は鳥のおなかの中で成長し、卵ができてきて糞《ふん》と一緒に排泄《はいせつ》される。それをカタツムリが食べて……という風に吸虫の生活環《かん》がまわっていく。

こういう寄生虫がいることを頭のすみに置いておいて、さて、この小説だ。本書の主人公はカマキリである。日本の南方にある志手島《してじま》。そこへ行く船が週に何便もあるわけではない、絶海の孤島。観光業で持っている、いわば楽園の島だ。そこで、全長一七センチという大きなカマキリが見つかる。その取材に、フリーライターの藤間が送り込まれる。が、それと同時に、この小さな島で、水死による自殺がやたらに多く報告されている。実は藤間は、その自殺の方に興味が向いていて……というお話。

島にはいろいろとおもしろい人物がいるが、話の中心で藤間の相棒となるのは、某大学の野生生物研究センター長の秋村先生だ。教授ではなく准教授。真っ黒に日焼けした女性である。この人の知識と創意工夫と機転がすごくて、カマキリは、だんだんにその脅威の全貌《ぜんぼう》が明らかにされていく。とても一七センチなんて可愛いもんじゃない。最後の方では、一メートルを超す巨大カマキリとの一騎打ち。まるで、昔の映画の「エイリアン」みたいだ。

なぜこんな巨大カマキリができたのか、害があるなら撲滅すればよいのか？　カマキリと自殺の関係は、先の吸虫がヒント。カマキリとの活劇の裏で、生態系に関していろいろ複雑な問題を考えさせる。この作者独特のユーモアにあふれ、飽きさせない。読み終わると、どうも続編があるように思えてならず、期待が高まる。

Q33 条件が同じなら同じ進化が起こるのか？

ジョナサン・B・ロソス『生命の歴史は繰り返すのか？』を読む

進化とは、何百万年、何千万年かかって起こることで、自分たちが生きている間に目にするなんて無理なことだろうか。また、進化は複雑で偶然に左右されているので、たとえ時間を巻き戻して同じ条件で繰り返しても二度と同じことは起こらないのかもしれない。

この二つとも間違いではない。しかし、そうではないこともあるのだ。本書で、進化生物学者のロソスは、トカゲを対象にいくつもの実験を行い、進化が数年単位でも起こり得ること、そして、同じ条件を与えれば異なる集団に同じ現象が起こることを示している。その書きぶりはわかりやすく、読みやすく、なによりも著者が本当に楽しみながら研究していることが生き生きと伝わってくる。

歴史的に見て、ずいぶん系統が離れている生物どうしでも、似た形質を進化させることを収斂《しゅうれん》進化と言う。有袋類のフクロオオカミが、真獣類のオオカミとそっくりであることや、魚類のマグロと鳥類のペンギンと哺乳類のアザラシとが、それぞれ速く泳ぐのに適した流線型の体形をしていることなどがそうだ。

著者を最も驚かせた例はヤマアラシである。北米にいるカナダヤマアラシと、アフリカに住むアフリカタテガミヤマアラシとは、遠く離れたトゲのない先祖から独立に、あのトゲトゲを持つずんぐりむっくりの体形に進化したのだ。

収斂進化が実際にどのように起こるのか、著者は、カリブ海の島々を舞台にアノールトカゲを使った大規模な実験を始めた。トカゲの足は、枝をつかむ役目をしている。植生が貧弱で細い枝しかない環境では、トカゲの足は短くなり、大きな木があるところでは長くなるのではないか？

事実、そうだったのだ。数年かけた実験が、一夜のハリケーンでむなしくフイになることを何度も経験しながら、進化生物学者はあきらめない。フィールドワークのわくわくが存分に楽しめる一冊である。

Q34 マンモスを再生できるのか？

ベン・メズリック『マンモスを再生せよ』を読む
須田桃子『合成生物学の衝撃』を読む

ゾウは動物園の人気者だが、ゾウに近縁で、もっとわくわくする動物がかつて存在した。先述のゾウの特徴に加えて、全身がふさふさの毛でおおわれたマンモス。いくつかの種類がいたが、ケナガマンモスは、肩の高さが五メートル強。最後の個体群は、およそ三〇〇〇年前に絶滅した。

最近の生物学の進展はめざましい。ある生物のＤＮＡの全配列を解読する、その中の一部を人工的に編集するなど、ほんの数十年前には考えられなかったことが次々にできるようになった。あまり古くては無理だが、大昔に死んだ生物からＤＮＡを取り出し、配列を決定することもできる。

『マンモスを再生せよ』は、こんな最先端の技術を駆使して、マンモスを再生しようとするプロジェクトに関するノンフィクションである。

マンモスに固有の配列を見つけ出し、アジアゾウの配列を改変してマンモス仕様にする。そうして作ったマンモスの胚《はい》を育てれば？

　主人公は、マンモスもどきにもじゃもじゃの毛を生やした、ハーバード大学医学部教授のジョージ・チャーチ。彼は、遺伝子工学、合成生物学という新分野を先導する巨星だ。

　そして、極寒シベリアのチェルスキー北東科学センター所属のセルゲイとニキータ・ジモフ父子。シベリアの永久凍土は、地球温暖化の影響でどんどん溶け、大量のメタンを放出している。これを食い止めるには、かつての草原生態系を再生するほかない。そのためには、マンモスに再登場願って、ジュラシック・パークならぬ、氷河期パークを造るのだという構想だ。

　温暖化阻止の大義と、マンモス再生の最先端科学技術、そしてそれに資金提供しようというお金持ちたち。彼らが出会い、夢を共有することで、マンモス再生のプロジェクトが始まった。

　でも、こんなことしていいのかね？　今の科学の最前線にある興奮と希望と恐れと疑問がぎっしりだ。

＊

　メズリックの著作は、絶滅してしまったマンモスという巨大な哺乳類を、現代の生物学の最先端を用いて、再生しようと試みている人々の記録だ。そのことの是非はともかく、ゲノムの分析、ゲノムの編集、生命を育《はぐく》める物理環境の解明、自由自在な分子の合成、それらがすべて合わさって、ことはマンモスだけの話ではなくなった。

須田桃子氏は、生命系をフィールドとする科学ジャーナリストで、マンモスの再生に代表されるような「合成生物学」という分野が、最近どのように日進月歩の進歩を遂げ、今、どこまでが可能になっており、今後何が目指されているかをまとめている（『合成生物学の衝撃』）。

長年にわたって野生生物を足で追いかけて研究してきた私のような学者からすれば、もうとても追いついていけない。人間は何をしたいのだろう？　生命についても、地球の生態系の全体についても、まだまだ理解できていないところが大きいのに、現時点で人間が制御可能なほんの一握りの技術をもとに、生命そのものに手を加えようとしている。それがもたらす結果がどんなものになるのか、だれも知らない。

Q35

生物は遺伝子の「乗り物」なのか？

リチャード・ドーキンス『利己的な遺伝子』を読む

利己的遺伝子。生物に関する書物はあまたにあれど、こと進化に関する一般向けの書物で、これほど大きな影響を与えたものも希有《けう》であろう。英語の初出が一九七六年。ドーキンス三五歳のときの作である。日本では、「生物＝生存機械論」という訳で八〇年に出版された。その後、九一年に「利己的な遺伝子」という題名で出版し直されたが、よくも悪くも、本書の影響は大きかった。

「よくも悪くも」の「よく」の方だが、当時の日本の若い研究者に対し、本書は衝撃的な影響を与えた。本書の学問的メッセージは、行動の進化を考えるときの基準は、遺伝子の複製率の違いであるということだ。個体や集団が進化の単位ではない。複製する単位は遺伝子なのだから、遺伝子が個体を使って体現する「戦略」がどのように進化するかが問題なのだ。そこに着目して分析をせよ、というメッセージである。当時の若い研究者たちは、それをしっかりと受け止めた。私もその一人である。その結果、動物の行動の理解の枠組みは激変し、進化の理論も刷新された。

「よくも悪くも」の「悪く」の方は、日本での一般の受け止め方についてである。九一年の出版から数えても三〇年ほどが経った。その間、多くの論評や亜流本が生み出されたにもかかわらず、日本では本書の真髄《しんずい》はあまり理解されていないのではないかと疑っている。それは、いまだに、「種の保存」という考えが一掃されていないからだ。

ドーキンスの主張の主眼は、進化の単位が個体ではなく、ましてや「種」という集団ではなく、個体を動かす原動力となる遺伝子だ、ということなのだ。そして、「利己的」という誤解を招く表現をあえて採用し、遺伝子どうしの複製率の違いに焦点を当てさせた。

ところが、日本で一般的には、このことの理解が素通りされ、「利己的」とは文字通り日常生活で言うところの「利己的」な行動が進化すると言う主張なのだと捉えられた。それは間違いである。自己複製に有利な戦略は、他のみんなと協力することでもあるのだ。

なおかつ、その考えとはまったく相反するにもかかわらず、「種の保存」のために進化が起こるという議論が、依然として温存されている。いまだに、行動の進化を考えるときに、「種の保存」のために起こるのですよね、という人は多い。利己的遺伝子の議論は、種という集団の内部に、同種であっても個体ごとにどれほど利害の対立があるかを考慮せよというメッセージなのだ。雄と雌の間の利害対立は何か、協力共同の維持はどれほど困難なことか。こういった核心の議論が、どれだけ理解されているか、いまだに心もとない。

Q36
遺伝子とは何か？

シッダールタ・ムカジー『遺伝子（上・下）』を読む

子は親に似るが、親と同じではない。兄弟姉妹も同じではないが、赤の他人と比べれば似ている。遺伝とは何なのか？　この謎は大昔から人々を悩ませてきた。

しかし、今や遺伝に関する知識は飛躍的に増大し、私たちは、私たち自身を作っている情報の総体であるヒトゲノムを解読してしまった。そして、今度はその遺伝子の働きに介入しようという時代である。

「ＤＮＡ」という言葉はコマーシャルに頻繁に現れ、遺伝子診断も産業として成り立った。では、私たちは遺伝子について、本当のところどれほど知っているのだろう？　本書は、メンデルがエンドウマメの実験を始めた一九世紀中ごろあたりから現在に至るまでの遺伝学、とくに人類遺伝学の発展をたどる。

遺伝子は粒子であるという考えから、具体的な分子であるＤＮＡの構造決定、ＤＮＡがタンパク質を作り出す過程の解明などなど、遺伝に関する科学的な考えや知識の転換点がつづられていく。改めて、一九六〇年代から七〇年代にかけての分子生物学の夜明けが、いかに興奮に満ちた時代であったかがわかる。

　と同時に、知識が増え、技術が開発されるごとに、それがもたらした社会的、倫理的問題も考察される。一九三〇年代の遺伝学の発展は、優生主義を全世界的にはびこらせ、ナチスの政策を導いた。そして、現在の遺伝子の知識と技術は、またもや、疾患や障害の遺伝子を持った胚を診断し、中絶する選択を親にせまる。今度は、個人の自由意思として。

　遺伝とは自分のことであり、親と子のことであり、人生そのもののことだ。著者自身、遺伝的な疾患に悩まされる家系の出身であり、その思いが語り口に色濃く表れている。

　遺伝子は確かに粒子のように働き、それらが生物を作る。しかし、ここまで知識が進んだ現在、その働きは、これまでの想像以上に複雑であることがわかった。「遺伝か、環境か」ではない。遺伝と環境と、その交互作用と、偶然の混合なのだ。

　これを理解するのは困難だ。今後、自分の遺伝子に関する知識をどのように役立てていけるのだろう？　決して完全な知性を持っているわけではない私たちの試練である。

Q37 生物の制御の共通の法則とは？

ショーン・B・キャロル『セレンゲティ・ルール』を読む

ショーン・キャロルは、本当におもしろい、読ませる書き手である。本業は進化発生生物学という分野で活躍する生物学者だが、生物学全体をみわたす視点を持った稀《まれ》な才人だ。彼のそんな才能が存分に発揮された傑作である。ジャック・モノーやチャールズ・エルトンなど、分子生物学から生態学まで、優れた研究者がたどった道を振り返りながら、生物全体に働いている法則をあぶり出す。

ヒトのからだには二〇〇種以上もの異なる細胞がある。それぞれがきちんと限度を守って分裂しているからこそ、私たちのからだは正常に動いているのだ。どうやってそんなことができるのか？　磯には、イソギンチャクやヒトデや巻き貝など、たくさんの生物がいる。では、それらの生き物の数はどうやって決まるのだろう？

これらは異なる現象に対する疑問であり、当然、それらの制御メカニズムは異なるが、もっと抽象化して見ると、生物の制御には、共通の法則があるのだ。それが、「セレンゲティ・ルール」である。

その一つは、「二重否定による制御」である。つまり、何かの量を制御するのに、一つの量があるのではなく、ある量を増やすように働く要因と、それ自身を制御する要因の二つがあり、それらがうまく働くことで全体が制御されているというものだ。コレステロールの量も、がん細胞の増殖も、アフリカのセレンゲティ平原の有蹄類《ゆうているい》の個体数も、みな同じ。単純に「BがAを抑える」のではなく、「Aを増やすBがあり、Bを抑えるCがある」ので、Aが正常に保たれるのだ。

生態系は複雑である。鍵になる生物がいなくなると、それがXを引き起こし、それがさらにYを引き起こし、という具合にどんどん連鎖が起こる。なぜ「風が吹くと桶屋《おけや》が儲《もう》かる」ことになるのか、説得力のある説明である。

ヒトが行っている経済活動も、言ってみれば、生物間の相互作用の一つである。競争、密度、サイズの影響など、想像力を働かせれば、ここに書かれていることの多くは、経済活動にもやはり当てはまるだろう。壊れた生態系を復元する試みから得られた「教訓」は、経済危機からの回復にもきっと役に立つに違いない。

Q38 なぜゲノムには「がらくた」がたくさんあるのか？

ネッサ・キャリー『ジャンクDNA』を読む

だいたいにおいて子は親に似るものだが、例外も多々ある。わかるようでわからない、遺伝とはやっかいな現象だ。人々は大昔から作物を栽培したり、家畜を交配したりして遺伝とかかわってきたにもかかわらず、遺伝の基本を発見したのは、一九世紀のメンデルである。そのメンデルの法則の再発見が一九〇〇年。遺伝に関する科学的理解の夜明けは、まさに二〇世紀の夜明けだったのだ。

さて、そこからがすごい。一九〇〇年までは、ほとんど何もわかっていなかったのに、五三年には、ワトソンとクリックによるＤＮＡの構造解明がなされる。そして、分子生物学という分野がどんどん発展した。そして二〇〇〇年には、なんとヒトゲノムのおおよその全貌が読めてしまった。一〇〇年でこれほどの急激な発展を見た科学の分野は、ほかにないように私は思う。

ヒトゲノム、つまり、ヒトの持っているＤＮＡの配列を全部解読してみたところ、奇妙なことがわかった。実際にタンパク質を作っている遺伝子は、全配列のたった二％ほどにすぎなかったのだ。では、残りの九八％は何をしているのか？　それらの多くは、うだうだとした繰り返し配列など、意味をなさないように見えるものばかりだったので、いつのころからか、それらは「ジャンク（がらくた）遺伝子」と呼ばれるようになった。

この十数年で、遺伝子の解析がさらに飛躍的に進んだ。すると、この「ジャンク」、どうもただのがらくたではないらしい。これらは、目なら目、肺なら肺の細胞だけで特定の遺伝子が発現するようにさせている配列や、染色体の複製のときにきちんと正確な複製ができるようにする構造、さまざまな遺伝子の発現量を調節する部分などなど、実に多くの貴重な仕事を担っているのである。

これらは大変に複雑な話であるのだが、著者のたとえが素晴らしい。自動車工場で実際に車を組み立てている工員の数は少ないかもしれない。しかし、車が生産されて、市場に出るまでには、販売も、電話の取り次ぎも、食堂の賄《まかな》いさんも、実に多くの人々がかかわっている。組み立てている工員さんだけが自動車産業の主力で、あとの人々は「ジャンク」だと言われたら、それは違うだろう。と言う具合に、直感に訴えてわかりやすい。

実際、生物が複雑になるほど、ジャンクDNAの量が増える。私たちは、まだまだ遺伝子の全貌を理解していない。ここまではわかったものの、この先にさらに広大な未知の領域が広がっていることを示す好著である。

Q39

なぜ利他行動の進化を研究したいのか？

オレン・ハーマン『親切な進化生物学者』を読む

人間は、見知らぬ他者に対して親切な行いをすることがある一方、自分には関係のない人間だと思えば、冷たく無関心でいることもできる。他者に対する絶対の善なるものは、果たして存在するのだろうか？

古来より哲学者たちが考察してきた問題は、生物進化の研究においても、同じく重要な問題だ。生物は、次世代に複製を残さなければ消えていく。複製が残されるのはどのような性質か？　個体間に競争が存在する限り、それは、競争に有利な性質であるはずだ。他者を助ける利他行動は、競争に有利な性質として進化することが可能だろうか？

本書は、生物学における利他行動の進化の考察を歴史的に追ったものだ。ロシアの無政府主義者、クロポトキンから、現代進化学の大御所のハミルトンまで、登場人物は多彩で数多い。

その中心となるのは、アメリカ人のジョージ・プライスである。天才的な数学者で、のちにロンドンに渡り、進化生物学者のジョン・メイナード＝スミスとともに、ゲーム理論を駆使して重要な功績を上げた。彼の主たる関心も、利他行動の進化にあった。しかし、ずいぶんと変わった人物で、家庭的にも恵まれず、最後は、持ち物をすべて貧者に与え、ホームレスとなって自殺した。

利他行動の進化に関するプライスの業績は、その方面の専門家にしか興味がないかもしれない。本書の著者の目的は、しかし、その解説にあるのではない。プライスをはじめとする多彩な登場人物が利他行動の進化の研究にたずさわった動機が、無意識にせよ、各自が持つ宗教的信念、政治的理想、家庭内の葛藤、生い立ちからくる自然観などの中にある、ということを示すのが目的なのだ。

それはその通りだろう。科学の研究は、純粋に科学的興味のみから為《な》されているわけではない。しかし、個々の科学者の研究の動機が何であれ、科学研究の結果は、最終的に実証性によって判断されるのであり、結果がその動機によって左右されることはない。本書の読者が、その区別をつけてくれることを私は望みたい。

Q40

「イーダ」とは何か？

コリン・タッジ『ザ・リンク』を読む

「イーダ」は、正真正銘、これ以上ないくらい素晴らしい。写真を見た人はだれでもはっとするだろう。本物を見たらどれほど感激するか、想像するだけでわくわくしてしまう。ドイツのメッセルという場所で発見された、四七〇〇万年前の霊長類の化石のことだ。「イーダ」は、その愛称である。

メッセルは、フランクフルト近郊で、昔から石油の原料をとる採掘場であった。ところがここは、今から五〇〇〇万年ほど前に始まる始新世という時代の化石の宝庫であることがわかった。昆虫から哺乳類まで、驚くほど良質の化石が大量に発見され、一九九五年にはドイツで唯一の世界自然遺産にも登録された。

本書は、この「イーダ」という化石の発見と復元の物語である。実は、この化石、一九八二年にアマチュアが掘り出して以来、長らく個人の所蔵として学界には知られなかった。それが化石見本市に出される。そこでこれに目をとめたノルウェーの古生物学者、ヨルン・フールムが、その重要性を見抜く。これは、サルというものがさまざまいる中で、私たち人類にまで続くグループの祖先かもしれないのだ。つけられた価格は一〇〇〇万ドル。

さて、本物であることを確かめ、一〇〇万ドルを集め、合法的にノルウェーに持ち出せることを確認しと、たいへんな苦労の果て、化石はオスロ自然誌博物館にやってきた。そして、国際的な研究グループを組織しての研究が始まる。その結果、フールムの直観は正しく、これはまさに、人類につながる霊長類の系統と、それ以外のキツネザル類などの系統とが分かれた、ミッシング・リンクに相当するものであることがわかった。

二〇〇九年はダーウィン生誕二〇〇年記念の年だ。この年に「イーダ」は「ダーウィニウス・マシラエ」と命名されて発表された。本書には、化石の詳細な写真や、その三次元復元図、生きていたときの想像図などがふんだんに載せられている。

本書の著者は、英国の名科学ジャーナリスト、コリン・タッジである。科学啓蒙書の中では「上級」のほうだが、化石研究の興奮をよく伝えた良書である。

Q41

動物の研究から人間は何を学べるのか？

マーリーン・ズック『性淘汰』を読む

本書はまさに私自身が書きたかった類《たぐい》の本なのだ。実は以前、本書を訳したくてある出版社に持ち込んだが断られた経緯がある。翻訳が出たのは嬉《うれ》しい。

本書は、動物行動の研究者である著者が、動物の性行動、配偶行動の研究成果を披露するとともに、このような知識が、私たち人間を理解するためにどのように貢献するのか、しないのかについて論じたものである。

動物の行動、とくに配偶行動について書かれた書物はいくつもあるが、本書の特徴は、私たち人間が持つ先入観や偏見と、動物行動の研究のあり方との関係について、詳しく論じていることだ。

この先入観や偏見は、二重の意味で誤りを導く。一つは、私たちの常識的人間理解が、無意識のうちに動物の行動研究に重ねあわされることだ。一九七〇年代ぐらいまで、雌は性行動に関して消極的で、雄がやってくるのをただ待っている存在だと思われていた。それは、人間の女性に関する社会の偏見なのだが、この暗黙の仮定は、動物の研究の枠組み自体に影響を与えていた。今や、雌は積極的で、特定の雄を選び、別の雄を拒否することは、よく知られている。

二つ目は、動物の行動の研究成果を、人間に対する教訓にしようとする誤りである。鳥がこういう配偶行動をするから、人間もそうしたらよいのか、マウスがああいう子育て行動をするから、人間もそうしたらよいのか。それは違う。では、動物の研究から私たちは何を学べるのだろう?

著者は、昆虫の配偶行動を研究対象としている進化生物学者で、雄と雌がどれほど違うものかを十分に認識している。それと同時に、熱心なフェミニストでもある。私は、ある年の国際行動生態学会でも、著者と会って話をする機会があったが、性差を認める進化生物学者であることと、フェミニストであることとは矛盾しない、しかし、それをバランスよく伝えていくことは非常に難しい、ということで話が盛り上がった。

フェミニズムと生物学との関係を考え、これからのジェンダー問題について考えたい人々の必読の書である。

Q42 呼吸と進化の関係とは？

ピーター・D・ウォード『恐竜はなぜ鳥に進化したのか』を読む

小鳥は、美しくてかわいらしいが、なんとなく爬《は》虫《ちゅう》類的な雰囲気を感じさせるときもある。それもそのはず、鳥の祖先は恐竜の仲間だった。

鳥は、どのようにして恐竜の一部から進化したのか？　本書は、タイトルにあるように、この問題を扱っているのだが、それだけではない。カンブリア紀以後六億年にわたる地球上の生物の歴史を、一つの新しい仮説で読み解こうとしているのだ。

それは、カンブリア紀の大爆発、陸上植物の進化、巨大トンボの出現と絶滅、二畳紀末の大絶滅などなど、生物の進化史上の大きな出来事を起こした原因は、空気中の酸素濃度の変動であったということだ。地球の歴史を通じて、空気中の酸素の濃度は、かなり大きく変動してきた。現在はおよそ二一％であるが、一二％ほどにまで下がったこともあれば、三五％近くにまで上昇したこともある。これに対応して、低酸素の時期に大絶滅が起こり、その中から画期的なからだの作りを持つ動物が進化した、という考えだ。

三葉虫、アンモナイト、ウニ、イカなどの生き物の構造を、生物学者たちは、どうやって餌を取り込むかの面から理解しようとしてきた。しかし、著者は、それよりも、どうやって酸素を取り込むかのほうが大事だという。そういう目で見てみると、確かによくわかる。なるほど、鳥というのは、非常に酸素が薄い状態に対処する動物であったのだ。

私たちにとって収入が多いか少ないかは大事な問題だ。そこで、ついつい、生物の世界でも生きるための食料獲得にかかわる競争に目がいってしまう。一方、呼吸は生きていくには必須なのだが、稼ぎにかかわらずだれもが当たり前にできる。そこで、ついつい呼吸の重要さは忘れてしまいがちだ。

科学哲学者のカール・ポパーは、かつて、「科学はバケツに水がたまるように知識がたまって進むのではない。世界をどう見るか、サーチライトを取り替えることで進む」と述べた。本書は、「酸素濃度と呼吸」という新しいサーチライトを持って動物の進化を見ると浮かび上がってくる、新しい発見の書である。

Q43

ガラパゴス諸島のゾウガメをめぐる物語とは?

ヘンリー・ニコルズ『ひとりぼっちのジョージ』を読む

ガラパゴス諸島。エキゾチックな響きだ。エクアドルの沖合一〇〇〇キロに位置するこの火山島群には、およそ一五〇年前、有名なチャールズ・ダーウィンが英国軍艦のビーグル号に乗って訪れた。ガラパゴス諸島は、彼が進化の理論を考えつくにあたって、大きな影響を及ぼした場所として知られている。

ガラパゴスには、不思議で魅力的な生物がたくさん住んでいる。イグアナ、カツオドリ、フィンチ、ペンギン、オットセイ……。中でも、巨大なゾウガメは、この島の看板である。なにしろ、ガラパゴスという名前が、スペイン語でゾウガメを表す言葉なのだ。

一〇〇年以上生きる巨大なゾウガメは、太古の時代に生きた生物の面影を想像させる。本書は、そのゾウガメの一頭をめぐる物語である。一九七一年の調査で発見された壮年の雄。やがて「ひとりぼっちのジョージ」と名付けられ、今や、人間の活動による環境の破壊と、生物保全の努力の象徴的存在となった。

ガラパゴス諸島には、それぞれの島に固有のゾウガメの亜種が一四種いたが、今では一一の亜種しかいない。ジョージはピンタ島の亜種の唯一の生き残りだ。ジョージが繁殖しない限り、ピンタの亜種に未来はない。しかし、ジョージには伴侶がいないのだ。いろいろな方法を試してみたが、どうもうまくいかない。一方、一つの亜種の保全に涙ぐましい努力がなされているその間にも、利権をめぐる人間たちの確執があり、ナマコ漁の禁止に反対する漁民たちが、ジョージを殺すと脅す。

本書は、ガラパゴスゾウガメが貪欲《どんよく》な人間によって絶滅に瀕《ひん》するようになった過程を示すとともに、この亜種を保全するために科学的に何ができるか、その方法を概観している。ごく最近、別の島に、遺伝的にジョージと近い個体が残っていることが発見された。それはともかく、ここで語られる、本当にさびしいジョージの半生について知った読者は、遠いガラパゴスにとどまらず、世界のどこにでも起きている種の絶滅について思いをめぐらすだろう。科学史と生物保全の話題が一体となった、魅力的な一冊である。

Q44

ゴリラの実態とは？

山極寿一『ゴリラ』を読む

ゴリラという動物には不思議な魅力がある。大きくて、強くて、物静かで、しかし、怒らせると怖い。今の私たちは、野生のゴリラの生活を描いたドキュメンタリーなどにも多く接しているので、ゴリラに対して、それほど現実から離れたイメージを持っている人は少ないだろう。しかし、数十年前までは、キングコングの映画で代表されるように、突拍子もないイメージが広まっていた。

ゴリラの実態は、本書の著者を初めとする多くの研究者たちによって、徐々に明らかにされてきた。ゴリラには、西アフリカの種と東アフリカの種の二種類があり、それぞれに亜種が二つずつある。これまでおもに、東アフリカの亜高山帯に住むマウンテンゴリラが研究されていたので、セロリやタケノコを食べながら寝そべる、一夫多妻の菜食主義者と考えられてきた。しかし、西アフリカの種などでも研究が進んだ結果、果実もたくさん食べ、場合によっては複数の雄が一つの群れの中に共存する、多様な生態を持っていることがわかってきた。本書には、最近になってやっと知られるようになってきた、ゴリラの本当の姿が多面的に描かれている。

それにしても、アフリカというのは困難な場所だ。植物が繁茂し、不愉快な昆虫や、ヒョウなどの捕食者が徘徊《はいかい》する森林での調査は並大抵のことではない。そして、内戦、虐殺などの政情不安と貧困、それに関連した汚職と密猟が、アフリカの野生生物に落とす影の影響が大きい。東アフリカのゴリラの多くは混乱の中で殺され、肉として食べられてしまった。

これまでにも、絶滅に瀕《ひん》したゴリラを守ろうという運動はいくつもあったが、野生生物の保全は、そこに住んでいる人々の理解が得られなければ不可能だ。この点、最終章で述べられている、著者らによる非政府組織（NGO）の活動はとても心強い。そこに掲載された、地元の高校生がゴリラを観察に来ている写真を見て、私はとても嬉《うれ》しく思った。これまで、野生動物を観察するのは、外貨を落とす白人観光客や外国人研究者ばかりだったからだ。ゴリラを知り、アフリカについて考える好著である。

Q45 動物の考えていることはわかるのか？

ユージン・リンデン『動物たちの不思議な事件簿』を読む
フランス・ドゥ・ヴァール『動物の賢さがわかるほど人間は賢いのか』を読む
フランス・ドゥ・ヴァール『ママ、最後の抱擁』を読む

動物が何を感じ、何を考えているのかは、どうしたらわかるだろうか？　人は動物とコミュニケーションの手段を共有しているわけではないので、これは、たいへんに難しい問題である。そこで、かつて心理学で一世を風靡《ふうび》した行動主義は、動物の心の存在を一切、無視することによって、動物心理学を「科学化」しようとしたくらいである。しかし、動物を飼ったことのある人ならだれでも、彼らにも心があると信じているに違いない。

『動物たちの不思議な事件簿』の著者は、動物の心を解釈することの難しさは承知のうえで、そのような逸話を次から次へと読者の前に並べてみせる。これがどれも実におもしろい。

著者は、以前、言語訓練を受けた類人猿たちについての本を書いたことがある。類人猿たちと研究者とのやりとりの話は、本書にもたくさん登場する。しかし、あるゴリラの母親は、人間の言語を教えてもらったわけではないのだが、「赤ちゃんの顔が汚いわよ。こっちによこし

なさい」と飼育係が言うと、すぐに赤ん坊を飼育係の方に差し出したそうだ。動物がこちらの言うことを理解しているように見えることはよくあるが、いったい彼らにはどうしてわかるのだろうか？

人に育てられて野生に戻った、インドのあるトラの雌は、赤ん坊を産んだ巣穴が洪水で水浸しになったとき、赤ん坊をくわえて川を泳ぎわたり、もとの飼い主の家の二階に「避難した」。ある人の家で飼われていたオウムは、同じ家にいるパコという名前の鳥が嫌いだった。このオウムは言葉を話すのだが、ある日、飼い主がシャモを調理していると、そのオウムは「かわいそうなパコ！」と叫んだ。そして、パコは生きていることを飼い主が示すと、オウムはけらけらと「笑った」という。さて、これはなんだろう？

珍談、奇談の連続で非常に楽しめる。最近の動物行動学は、動物の心的状態を研究対象とするようになってきた。本書はそれらのことだけでなく、より広く、他者を理解するとはどういうことか、新たな目を開かせてくれる。

＊

リンデンは動物の行動研究を追いかけているジャーナリストだが、本書のような話題に関して、動物行動の研究を専門としている学者が書いた著作を紹介したい。オランダ出身の霊長類学者、フランス・ドゥ・ヴァールである。

彼は、オランダの動物園で飼育されていたチンパンジーの集団を長期に渡って詳細に観察し、チンパンジーという、私たちヒトにもっとも近縁な生き物が何を考え、どんな行動をしているのかを研究してきた。その後、アメリカのエモリー大学に移り、チンパンジーや、その他のサル類に関して多くの認知実験を行い、彼らの感情や学習能力を明らかにしている。

『動物の賢さがわかるほど人間は賢いのか』は、リンデンの著作の延長上にある。私たちとは感覚も知覚もまったく異なる生物が、どんなつもりで何をしているのか、それを理解できる術を私たちは持ち合わせていない、ということを、さまざまな例を挙げて示している。

『ママ、最後の抱擁』は、彼が研究を始めた最初の対象であるオランダの動物園のチンパンジーに関して、再度考察したものだ。ママという名前の年老いたメスのチンパンジーと研究者との心の交流の記録であり、それらの経験を基にして、私たちヒトの感情や認知能力に関して省察を巡らしている。私自身は、著者の考え方に全面的に賛成しているわけではないのだが、思考の糧として貴重な著作である。

Q46

なぜネズミは知的なのか？

服部ゆう子『ラット一家と暮らしてみたら』を読む

かわいいネズミと言えば、アニメの「トムとジェリー」に登場する、こまっしゃくれたジェリーだろうか？　しかし、実際にネズミが好きだという人はあまり多くはないに違いない。ところが、実はネズミという動物は非常に知的でかわいいのだ。

ラットの「数の認識」を研究している友達が、常日ごろ、ラットは賢くて情が通じると言っていたが、本書を読んで納得がいった。ラットは多産で寿命が短い。こういう動物は、サルなどの少産で長寿命の動物と比べて知能はあまり発達しないと考えられてきた。しかし、それは違うのである。社会生活をし、雑食で環境適応性の高いラットは、わずか二、三年の「人生」ながら、学習と発見に満ちた複雑な生活をしている。

ネズミの仲間の中でも、実験動物のラットは、ヨーロッパではペット動物として親しまれている。著者は、ドイツに住む日本人で、フェレットというイタチの仲間を飼いたかったのだが、夫にすすめられて代わりにラットを飼い始める。これまでの一〇年間に一五〇匹に上るラットとともに暮らしたのだから驚異的な人物だ。本書は、その飼育観察の記録である。恐る恐る雌に求愛する雄、巣作りでイライラしている妻に怒られる夫、冒険好きと引っ込み思案、成長していく子どもたちのとまどいと、いたずらの楽しさ。彼らの一喜一憂が脈々と伝わってきて、読み出したら本を置くことができなかった。

どんどん増えるラットたちに著者がつける名前がまたよい。ソクラテス家、ダーウィン家、ニュートン家、ガリレオ家など。ソクラテスは雌で、その夫はおっとりした髪結い亭主。ガブリエーレという雌は、ラット不信、人間不信でだれにでもすぐに噛《か》みつく。その夫のパスカルは幼すぎたがゆえに彼女に受け入れてもらえた。いつでもププとかわいい声で鳴くププ・ダーウィンと、彼女と巣をともにすることなく通い婚で通した夫。どれもみんな、それはそれはユニークな存在である。本書を読んだあとでは、あなたのネズミに対する考えは、きっと大きく変わるだろう。

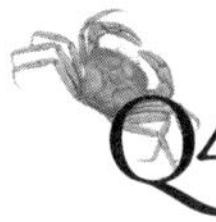

Q47 全盲の科学者を取り巻くものとは？

ヒーラット・ヴァーメイ『盲目の科学者』を読む

これは、感動と発見に満ちたたいへんおもしろい書物だった。著者は、貝類の生態を専門とする進化生物学者で、米プリンストン大学で学部時代をすごし、エール大学で博士号を取得した。私は、以前から著者の論文や専門の著作をいくつか読んでいたが、直接会ったことはまだなく、著者が全盲であるなどとは、本書を読むまでまったく知らなかったのである！

著者は、三歳のときに緑内障で失明した。しかし、両親や兄の努力によって、多くの書物を点字で読みながら育つ。九歳のときに両親がアメリカに移住し、英語での生活が始まった。もともと貝殻の収集が好きだったが、小学校のときの先生が、フロリダの貝類の標本を自由に触らせてくれたことから、貝類の研究に興味を抱き、科学者になろうと決意する。先生はのちに、その標本をそっくり著者にプレゼントしてくれた。

目で見ることができないかわり、著者は貝を触ってそこから克明なイメージを得る。その点は、視力のある人間の観察よりもずっと鋭い。しかし、学者であるためには、たくさんの論文を読み、測定をし、危険な場所での野外調査をせねばならない。それには、家族、友人、学校、大学関係者、政府、アメリカ盲人協会など、多くの人々が、著者の持つ可能性を最大限に発揮できるよう尽力してきた。著者の努力は素晴らしいが、ここまでのサポート環境があることも素晴らしい。

もちろん、いつでも思い通りになったわけではない。著者はさまざまな偏見と戦わねばならなかった。中でももっとも戦わねばならなかったのは、「盲人にはできっこない、危険すぎる、そんな危険の責任をこちらは引き受けたくない」という反応に対してである。

だれしも盲人をいたわろうとする。しかし、彼らが自分の責任において自己の可能性を追求する権利をも奪ってはならない。著者は、熱帯の孤島での調査でウツボに噛《か》まれたり、アラスカの海に落ちそうになったりしながら、つねにそのことを訴えてきた。触覚を使って洞察を得る研究と、その飽くなきチャレンジ精神は驚くべく、そして颯爽《さっそう》としている。

＊

盲目の古生物学者、ヒーラット・ヴァーメイは、私のような目の見える人間からすれば、本当に驚異的な学者である。どうやって指先の感覚を駆使することで、化石の研究ができるのか、どうやって日々の研究生活を送っているのか、私のような凡人には想像もつかない。

と思っていたところ、先日、浅川智恵子さんのお話を聴く機会があった。ヴァーメイと同様、全盲でありながら、ＩＢＭのフェローという立場にある技術者・研究者の女性だ。これまでに、目の見えない人たちにも便利に使えて、彼らの生活の質を格段に向上させるさまざまな技術を開発してきた。

浅川さんもまた、驚異的な人である。探究心と創意工夫の心、障壁をどんどん乗り越えていく方法を探る積極性、明るい希望の持ち主、と言ったところは、二人に共通だ。もちろん、陰《かげ》でのご苦労はいろいろあるのだろうが。

ヴァーメイや浅川さんを見ると、適切なサポートさえあれば、全盲であっても実にさまざまな仕事をこなし、面白い人生を送ることができるということがわかる。おそらく、他のいろいろな障害についても同じだろう。「さまざまな仕事をこなし、社会に貢献できる」とは言いたくない。「面白い人生を送ることができる」ということこそが大事なのだ。その結果、社会に対する貢献もついてくるのであって、一番大事なのは、障害があっても楽しく生きられること、個人としての本人の生きがいなのだと思う。

Q48 ファーブルとダーウィンの交流とは？

マルティン・アウアー『ファーブルの庭』を読む

『ファーブルの昆虫記』、なんともなつかしい響きである。『昆虫記』は、アンリ・ファーブル五六歳のときから書き始められ、八四歳のときに完結した、全一〇巻の大作である。

しかし、彼は、日なたで地面に寝転がりながらジガバチやフンコロガシの生活を観察しただけの奇妙な老人ではない。本書は、ファーブルの伝記と彼の『昆虫記』の中の文章とを混ぜ合わせ、あたかも映画か劇のような構成で彼の魅力を浮き彫りにした素敵《すてき》な作品である。この洒《しゃ》落《れ》た感じは、劇作を本業とする作者の感性のたまものなのだろう。

ファーブルは一八二三年生まれ。物理、化学、生物学のみならず、哲学や文学にも足を踏み入れていた。詩も作った。学問が今ほど細分化されていなかった時代、このように広く自然の驚異を見つめ、謳《うた》うことのできた、最後の世代の一人だったのだろう。

大学の教師になりたかったが、かなわず、中学校の先生をしたり、教科書を書いたりして糊《こ》口《こう》をしのいだ。生徒にたいへん人気があった。賛美者も多数あり、有名なレジョンドヌール勲章ももらった。最初の妻に先立たれたのち、六二歳で二三歳の女性と再婚、さらに子どもが生まれる。成長した子たちは彼の助手となり、昆虫や植物の観察に協力した。しかし、その子たちのうち数人の死にも会わねばならなかった。

ダーウィンの進化の理論には反対だった。昆虫たちはあまりにも完ぺきな行動を示したので、偶然の変異から種が進化するとは信じられなかったのだ。しかし、彼らは互いに尊敬しあっていた。ダーウィンに頼まれた実験をするため、ファーブルはハチに磁石を背負わせて彼らの方向感覚を調べる。二人は会うことはなく、この交流はダーウィンの死で終わった。かたやイギリスのジェントルマン、かたやプロヴァンスの貧乏教師。しかし、この二人の生き方には一九世紀という時代のたまもの以上に相通じるものがあったように思う。

本書を読んだ人は、再びあの大著の『昆虫記』を開きたくなるに違いない。

Q49 鳥は何を感知できるのか？

ポール・ケリンガー『鳥の渡りを調べてみたら』を読む

鳥の渡りは素晴らしい。ハチドリは体重がたった五グラムしかないのに、コスタリカから合衆国北東部まで、五〇〇〇キロもの旅をする。アジサシに至っては、往復移動距離は三万二〇〇〇キロ。お弁当も、寝袋も、テントも、地図もコンパスも持っていないのに、鳥たちはどうしてこんな冒険に出発するのだろうか？

本書は、鳥の渡りに関するさまざまな疑問を、一五章にわたって解説したユニークな本である。渡るとなると、考えねばならない問題がたくさん出てくる。いつ飛び立つのか、どのくらいの高度を、どのくらいの速さで飛ぶのか、などなど。鳥の多くは昼行性だが、夜間に渡りの飛行をするものがたくさんある。そう言えば、「月に雁《かり》」というのがそれだ。

滑空するもの、はばたき続けるものなど、鳥の飛翔《ひしょう》の方法にもいろいろある。ふだんの飛び方と渡りの距離、速度などに応じて、鳥の翼や尾羽の形は、それぞれ航空力学的に最適に作られている。風速や風向きをうまく利用して、小鳥でも平均時速四五キロ近くまでも出せるそうだ。鳥は、風と天気を熟知している。

読んでいくうちに、彼らは、お弁当や地図やコンパスなどは持っていることがわかる。お弁当は、からだに蓄えた脂肪。小鳥では、脂肪一グラムを燃やすことで二〇〇キロ以上も飛べる。渡りの前にうんと食べて一五グラムの脂肪を蓄えられれば、準備万端だ。

太陽の偏光面や地磁気など、人間には感知できないものを鳥は感知できる。それらがコンパスである。地図はどうか？　経験を積んだ鳥は、以前の旅で目印を覚えている。しかし、若鳥にとってはこれは無理だ。まず、ある方角に何時間飛ぶ、次にどちらの方角に何時間飛ぶという、プログラムが備わっているらしい。これは、ベクトル航法と呼ばれている。

それにしても危険の多い旅である。渡りの途中になんと多くの命が失われることか。嵐《あらし》、捕食者、餓死、方向間違い。そして人間による殺戮《さつりく》。本書を読む人は、こんな冒険をする鳥たちに感動し、その旅の成功を願わずにはいられないだろう。

Q50 いつ老化は始まるのか？

スティーヴン・N・オースタッド『老化はなぜ起こるか』を読む

自分は何歳まで生きると思いますか？　年を取るのは嫌ですか？　しかし、いったい老化という現象は、生物学的に見てなんなのだろう？

私たちの身の回りにある機械はみな、長年使っていると、さびたり摩耗したりして「寿命」がくる。それを見慣れているので、私たちのからだも、長年使っていれば部品が壊れてだめになるのだ、それが老化だ、と思いがちである。しかし、そうではない。老人だからといって、指先が摩耗しているわけではない。ただ、細胞の修復が前と同じようにはいかないだけだ。そのために、いろいろな原因で死ぬ確率が高くなっていく、これが老化であると考えられている。それを引き起こす原因が何かについては、さまざまな候補はあげられているが、まだ解明されていない。

著者は生物学、進化学の広い背景を持った、世界的に有名な老年学の第一人者である。本書を読むと、老化に関するさまざまなおもしろい知識を得ることができる。たとえば、老化は生まれた直後から徐々に始まるのではない。実は、思春期の直後から始まるのである。そして、成人以後、死亡の確率は、だいたい八年ごとに倍になっていく。この老化のスピードは、大昔から変わっていない。確かに平均寿命はどんどん延びた。しかし、それは医療の発達などで若い人の死亡率が下がったからである。一〇〇年前の八〇歳の老人が、今の八〇歳の老人よりもひどい年寄りだったのではない。感染症や生活のストレスは過去の方が高かったが、老化のプロセス自体は変わっていない。

また、人間は、どんなにがんばっても一一〇歳を超えて生きることはまれである。これまでに話題になった、世界のへき地のとんでもない長寿村という話のほとんどは、出生記録がない地域の大ぶろしきであるというのが、学界の定説である。

これからますます老人が増え、老後の生活が長くなる。しかし、老化の生物学にはまだ謎《なぞ》がいっぱいだ。せっかくだから、余った時間を利用して、老化とは何かを考えてみませんか？

Q51 なぜ病気は生まれるのか？

ロバート・S・デソウィッツ『コロンブスが持ち帰った病気』を読む

二〇世紀は、農薬と抗生物質の発明によって、伝染病の多くが撲滅された画期的な時代である。しかし、病気との闘いに終わりはない。エイズやエボラなど、解決のついていないものは、まだたくさんある。

著者は、世界保健機関などで熱帯病の撲滅に貢献してきた、著名な病理学者である。その経験と幅広い学識に裏打ちされた本書は、題名から示唆されるものよりも広く、黄熱病、マラリア、鉤虫《こうちゅう》など流行病の歴史と、その治療に文字通り命をささげてきた、多くの病理学者たちの努力のあとを、たいへん興味深く紹介したものだ。まったくなぞのところから感染経路や病原体が明らかにされていく過程は、まさにドラマチックである。

二一世紀になっても、病気の恐ろしさは減らない。一つは、大量の人間が大量に世界中を移動するようになったからだ。人が移動すれば新しい病気がもたらされることは、古来よく知られている。もう一つは、地球の温暖化である。多くの熱帯病の細菌や寄生虫は、冬に温度がある程度以下に下がる地域では暮らしていけない。温帯の文明は、それによる恩恵をこうむってきた。しかし、今、ヨーロッパですら十分に暖かくなりつつある。ロンドンのヒースロー空港のまわりにマラリア蚊がたくさんいるというのは、この二つの事実を象徴的に物語っているだろう。

また、環境破壊と人口増加も関連している。エボラもそうだが、自然界には、昔からいくつかの動物の間で感染サイクルが落ち着いていた病気がある。それが、人間が森林地帯に入り込むことによって、突然、新しいタイプの病気になり得る。

もう一つ、現代の医学は、心臓病や糖尿病などの「金持ち文明」に伴う病気には多くの研究費をかけているものの、疫学など、あまりお金にならない分野には研究費が少ない。本書の随所で著者が嘆いているとおり、もうけとは関係のないような、さまざまな研究が幅広く行われているところからこそ、思わぬ解決策が生まれるものなのである。

＊

二〇一九年暮れに始まった新型コロナウイルスによる感染症は、瞬く間に全世界に広がった。欧米などでは都市のロックダウンがあり、日本では「緊急事態宣言」による行動の自粛が要請された。都市は、人々が集まって働き、みんなで一緒に飲み食いし、エンターテインメントなどを楽しむという場所であるので、人が移動しなくなり、集まらなくなると、諸活動が停止する。そうなると経済が停滞する。というわけで、新型コロナは大問題。この文明の行方を見直そうという動きが出てきている。

しかし、新たな病原体は常に出現しているし、これからも出現するだろう、その原因は環境破壊と野放図な都市化による野生生物との接触である、ということは、もう何年も前から言われてきたのだ。ただ、人々が聴く耳を持たなかっただけである。先進国の人々は、それはアフリカの話だろう、中国の一部の都市の話だろう、などとあしらい、自分のことだとは考えなかった。経済を回すことが至上命令であり、立ち止まることはできなかった。

今回、新型コロナウイルス感染症のパンデミックにより初めて、世界中が立ち止まらざるを得なくなった。だれもがこの問題を真剣に考えるようになった。ワクチンができたらおしまい、というわけにはいかないと思われる。これをよい機会と捉えて、私たちはこれからどんな生き方をしたいのか、どんな世界を作りたいと思うのか、じっくりと考えていきたい。

Q52

なぜ日本の海はかけがえがないのか？

ジャック・T・モイヤー『のぞいて見よう海の中』を読む

ミヤケテグリという小さな魚をご存じだろうか？　たぶん多くの人の目にふれたことはないだろうが、なかなかきれいな、愛敬のある魚である。名前の通り、三宅島で発見された。著者の弟子がこの魚の発見者であり、学名には著者の名前がつけられている。

著者はアメリカ人だが、長年にわたって日本に住み、日本の魚を研究して東京大学農学部で博士号を取得した。日本の海の自然保護に貢献し、その努力は国際的にも高く評価されている。本書は、著者の研究と自然保護運動の経験をおりまぜながら、日本の魚の行動と生態をわかりやすく解説したものである。

魚類というのはたいへんおもしろい。求愛行動もはなやかだし、性転換をするものもあるし、雌が子育てするもの、雄が子育てするものと、繁殖様式もさまざまである。分類群ごとにわけて魚の行動を解説している部分は、あまり知られていない、魚類のこの多様な興味深さを生き生きと描いている。

しかし、なによりも、著者の海に対する愛情が切々と伝わってくる。それと同時に、日本の海がどれほど悲惨に破壊されてしまったか、その取り返しのつかない損失が重苦しく認識されるだろう。日本の海は、世界の海の中でもとくに素晴らしいところなのだ。それは、北の要素と黒潮の影響がまじりあい、四季おりおりの変化があるからである。この日本の海の重要性を、今の日本人はどれほど認識しているだろうか？

野生動物を研究している人ならだれでも経験することだが、自分が研究していた美しい場所が、たった一年とたたないうちにゴルフ場になってしまう、埋め立てられてマンションが建ってしまう、というようなことがよくある。著者がそのような目にあった場所の一つである沖縄のサンゴ礁の話はとくに悲しい。

最近、ダイビングは趣味として人気が高まり、ダイバー人口が増えている。そのうちの多くの人は魚ウオッチングが趣味で、日本のダイバーの質は高いと著者は言う。日本の海のかけがえのなさをより多くの人に知ってもらうため、本書を薦めたい。

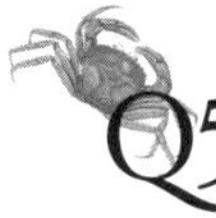

Q53 進化を知ることの意味とは？

岩槻邦男『生命系』を読む

私がまだ大学に入る前のころ、サルトルの実存主義にえらく傾倒していたことがあった。まだ生物学を専攻しようなどとも考えていなかったころだ。私が、「主体が主体として存在にかかわらない限り存在ではない」とかなんとかわけのわからないことを言っていたら、友人の一人が、「でも、そうしたらほかの生き物はどうなるの？」と聞いた。

この問いに私は呆然《ぼうぜん》として声もなかった。自分と自分の生き方のことしか考えていなかったからだ。あのときの私のようなことを考えている若い人々に、ぜひ、本書を読んでもらいたい。「自分を発見する」「自分史の追求」などと個人の内へ内へとしか向かない哲学に熱中している人々に、人間と、この世に存在するすべての生き物とのつながりを知って欲しいからだ。

著者が提唱している「生命系」という言葉は、今現在ある生物とその環境がおりなす全体の、静的一断面を表すだけでなく、今ある生物はすべてが、過去三十数億年にわたって進化の歴史を共有してきた存在であるという、歴史的なつながりをも考慮に入れた、新しい意味をこめた言葉である。

進化を知るということは、自分という個体が、連綿ととぎれずに続いてきた生命の鎖の一つであることを知ることだ。生態を知るということは、すべての生きる存在が、他の生きている存在とどのようなかかわりを持ちつつ生きていられるのかを知ることである。これらのことを淡々と説いていく本書は、地球環境問題や脳死の問題などに対し、スローガン的な解決策を与えるのではなく、一人一人の心に、自分が生きているとはどういうことかをじっくりと考え直させる効果を持つに違いない。

現在のところ記載されている生物の種は一五〇万種ほどあるが、本当のところ何種が存在するのかはだれも知らない。遺伝子進化の基本は、利己的遺伝子というコピーで皮相的にしか広められていないが、その哲学的な意味の一つは、永続する遺伝子と死すべき個体との関係を問い直すことなのである。

＊

本書は、生物（とくに植物）の分類や系統、生態について長年研究してきた学者が、これからの生物学の進むべき方向について考察した本であった。昨今の生物学、生命科学は、細かな分子レベルの迷路のような諸現象の解明が主たる目的となっている。それは、そのような本当に小さな細かなレベルでの現象を明らかにすれば、そこを改変することができるからだ。その行き着く先が、ヒトの遺伝子の改変である。

しかし、本来、生物学とはそういうものではなく、生命現象とは、そんなレベルで理解するべきことでもない。ある程度の年齢以上で、個体レベル以上の現象を考えてきた学者たちはそう考えている。

同じような年齢層で、同じように生命現象の全体像をとらえる生命科学を目指すべきだと考えているのは、中村桂子氏だ。彼女の最近の著作（中村桂子コレクション）は、岩槻氏の著作と同様に、大きなピクチャを目指し、哲学をも含有する生物学の創成を提案している。

Q54

なぜ死ぬことは複雑になったのか？

アンソニー・スミス『生と死のゲノム、遺伝子の未来』を読む

クローン羊のドリーが誕生してから二年以上がたったところで韓国でヒトのクローン細胞の培養が成功した。生殖技術が発達して、体外受精も代理母もことさらに珍しい話ではなくなってきている一方、地球の人口問題と出生前遺伝子診断により、国家的にも個人のレベルでも、新たな優生思想の復活が懸念されている。

平均寿命は徐々に延び続け、お年寄りが増え続ける。老人医療に国家の医療費の膨大な部分が費やされる一方、親の離婚や家庭崩壊などなど、子どもを取り巻く環境は決してよくなっていない。

そして、最後にはだれもが直面しなければならない「死ぬ」ということにもさまざまな問題がある。尊厳死、安楽死、医者と病人と家族の関係、防止にあまり対策がこうじられていない自殺。

現代社会は、一昔前に比べて、生まれるにしても、病気になるにしても、死ぬにしても、ずっと複雑になってしまった。私たちはこれらの問題をどうとらえ、どのように対処しながら

生きていけばよいのだろうか？

題名からすると、もう少し遺伝子よりの話かと思わせるが、本書は、おもに以上のような生命倫理関連の問題を、ここにあげたような順序で取り上げ、論じたものだ。つまりは、現代社会のこの状況の中で、人間が生きるということをもう一度問い直すための書とでも言ったらよいだろうか。

著者はジャーナリストらしく、多くの統計や具体例を豊富に提供している。個々の問題の掘り下げ方は決して深くはなく、著者自身による解決策は、ところどころに織り込まれてはいるものの、はっきりとは示されていない。

決して、問題全体を著者が深く料理したメーンコースのような本ではない。薄味で異なるものが少しずつ詰められた懐石弁当のようなものだ。しかし、その分、これだけの問題を抱えた現代におけるヒトの生と死について、お膳《ぜん》を提供された読者がそれぞれ自分で考えを深めるための、よき誘い水になっている。

Q55 なぜゴキブリは評判が悪いのか？

デヴィッド・ジョージ・ゴードン『ゴキブリ大全』を読む

一六五三年に英国で出版された、アイザック・ウォルトンの『釣魚大全』は、釣りの技法、釣り場の景観、魚の博物誌、そして、釣れた魚の料理法まで書かれた、釣りをめぐる教養大百科である。釣りの楽しみ、釣りの教養ばかりでなく、静かに満足した生活を送るとは何かを考えさせる、興味深い書物である。

さて、本書、『ゴキブリ大全』はどうだろうか？　ゴキブリはたいへんに評判が悪い。とくに最近の日本では、不必要なまでに毛嫌いされている。多くの人は、ゴキブリの私生活なんて知りたくもないかもしれない。本書のカバーに立体的に型押しされた、つるつるした実物大のゴキブリの像を見せられたら、それだけで虫酸《むしず》が走る人もいるかもしれない。

しかし、本書は、それほどまでに嫌われ、不潔の象徴とまで思い込まれているところの存在であるゴキブリについて、その生態、分類、進化史、行動、人とのかかわり、薬学的効用、歴史や文学に現れたゴキブリと、ゴキブリについてのすべてを明らかにしようとしたものである。ゴキブリが、とにかく頑丈であること、糞《ふん》をまき散らす割には、自らは非常に清潔に気を使う昆虫であること、母親がかいがいしく子を育てる種類もあること、ゴキブリにまつ毛をかじられてしまった子もいること、はたまた、ゴキブリの料理法まで、おもしろいゴキブリ話に事欠かない。『ゴキブリ大全』として、人間の生活と文化におけるゴキブリを考えさせる好著である。

ゴキブリは、三億四〇〇〇万年前に地球上に出現してから、ほとんど姿形が変わっていない。にもかかわらず、今に至るまで、雨あられと降り注ぐ殺虫剤にもめげずに生き続けているということは、基本設計が驚くほどうまくできていることを示している。

私たちは、なぜ、ゴキブリにたかられるのか、ゴキブリの存在は、生態について何を物語っているのか。最近、異様に清浄化をめざすようになってしまったことを考え直してみたい人に、おすすめの楽しい本である

Ⅳ

宇宙・物質・時間をめぐるQ

Q56 人間は地球に住めなくなるのか？

マーティン・リース『私たちが、地球に住めなくなる前に』を読む

これは、未来についての本だ。著者は英国の著名な宇宙物理学者で、現在の人類の社会がどのような位置にあり、これからの科学は社会にどのような変化をもたらすのか分析し、対処の方法を考案している。

私たちは地球に住めなくなるのだろうか？　遺伝子操作、情報技術、ロボット、ＡＩ（人工知能）などの進展は、世界を変えてきたし、今後も変えるだろう。それは、よい未来を開くかもしれないが、とんでもなく悪い事態も引き起こせる。

私たち人類が地球環境に与えている負荷はたいへんなものだ。生物多様性の喪失も気候変動も、人類の存亡にかかわる。そして、世界人口が九〇億になったときはどうするか？

本当に汎用《はんよう》型のＡＩが実現し、機械が意思を持つようになったらどうなるか？　そうなると、人間は機械を制御できなくなり、機械は自らの判断によって、私たちの利益とは別に動き出すだろう。それは、どうすれば防げるのか？

地球環境とＡＩの今後は、この一〇〇年ぐらいの人類の運命を左右するだろう。ではその先

は？　今から約四五億年後に、私たちの銀河は別の銀河と衝突し、今から六〇億年後には、太陽が燃え尽きる。そのとき宇宙はどうなっているか？　そこまで視野にいれるのは、さすがに天文学者。

著者は、生身の人類が宇宙空間に進出していくというシナリオは買わない。有人宇宙探査には、命を捧げてもいいと思う個人の冒険が重要だとするが、未来の宇宙空間に展開するのは、ＡＩ搭載のさまざまなロボット機械だと論じる。

何もかもがグローバルにつながる現在、人類の未来を左右する事柄の意思決定には、国家を超えた大きな集合体が重要だと著者は説く。その鼻先で、英国がＥＵから脱退するのだから、この提案はちょっと心もとない。それはさておき、本書には、学者の良心と良識による未来への考察がちりばめられている。

Q57

世界を作ったのは神様なのか？

デイヴィッド・クリスチャン『オリジン・ストーリー』を読む

どの文化にも宗教にも、世界はどのようにして始まり、自分たちはどうしてここにいるのかを示す言い伝えがある。それがオリジン・ストーリーだ。たいていは、神話という形をとり、世界を作ったのは神様だ。そしてその中で、道徳的教訓も示される。

さて、自然科学は、ビッグバンによる宇宙の始まりから今日までの宇宙史を明らかにしてきたし、地球という惑星上の生物の進化についても明らかにしてきた。そして、私たちヒトという生物の進化や、ヒトがどんな暮らしをし、どんな社会を築き、その活動が地球生態系に対してどのような影響を及ぼしているかについても、明らかにしてきた。

それでは、これらの自然科学の成果をもとに、私たちのオリジン・ストーリーが描けないものか？　そこには全知全能の神様は出てこない。文化によって異なることもない、普遍的なストーリーだ。ただし、科学の進歩によってつねに改訂される余地がある。

自然科学はいくつもの分野に分かれ、研究が無数に行われている。しかし、諸科学の成果を結びつけて、私たちのオリジン・ストーリーを語ろうとしたら、研究の大部分は切り捨て、本当に大事なことだけをつなぎあわさねばならない。それは、地球儀を作ろうとしたなら、大陸の配置と地形と国境の輪郭だけを明らかにし、地域の細かな内容については捨てねばならないのと同じことだ。

本書で問題とする宇宙史の大事な転換点は、宇宙の始まり、恒星と銀河の誕生、分子と衛星の出現、生命の誕生、多細胞生物の誕生などだ。そして、ヒトという種が現れ、農耕が始まり、現代のような世界が生じて、人新世《じんしんせい》と呼ばれるようになる。しかし、エントロピーの法則により、やがてすべてはまた混沌《こんとん》の中に消えてゆく運命なのだ。

本書は、一三八億年の宇宙史の中で人間の存在を考える、現代の知性のエッセンスである。

Q58

物理学は完成された学問なのか？

ジョージ・チャム＋ダニエル・ホワイトソン『僕たちは、宇宙のことぜんぜんわからない』を読む

一般的には、物理学というのは、生物学などに比べれば、比較的完成された学問だという印象が強いのではないだろうか？

ニュートンの力学が人間周辺の世界の大筋を説明し、もっと遠いところも含めるとアインシュタインの相対性理論が説明し、極微の世界については量子力学が説明する。物理学は科学の王道、という印象。

ところが、違うのだ。陽子と中性子と電子で原子ができ、原子が集まって分子ができ、分子が集まっていろいろなものができる。私たちが知っている物質だ。でも、実は、こんなものは宇宙全体の五％でしかない。残りの九五％のうち、二七％がダークマター、六八％がダークエネルギーだ。では、ダークマター、ダークエネルギーとは何か？　まったくわからない。

現代の量子力学は、物質を作る究極の粒子として、クォークとかレプトンとかを発見した。これらにもいくつもの種類がある。でも、アップクォークとダウンクォークと電子さえあれば、私たちの知っている物質は作れる。だったら、ほかにもいくつもある粒子たちはなぜ存在する

の？　まったくわからない。

ヒッグス粒子が見つかったとか、重力波が検出されたとか、ときどきニュースになる。これらを断片的に見ていると、物理学がどんどん進んでいるように見える。進んではいるのだが、実は、それと同時に疑問の数がますます増えていく。

本書は大変おもしろいが、それは、現代物理学がよくわかるようになるという意味ではない。少し説明があったあとで、「でも、これがどうしてそうなのか、まったくわからない」という話になる。質量とは何か、反物質とは何か、なんにもわからない。わからないことをつなぎあわせることで、興味をそそる不思議な話になる。でも、これこそが科学なのだ。

わかる入門書ではなく、わからないの入門書。逆手の発想が超おもしろい。

Q59 時間とは何か？

ジェイムズ・グリック『タイムトラベル』を読む
カルロ・ロヴェッリ『時間は存在しない』を読む
ジュリアン・バーバー『なぜ時間は存在しないのか』を読む

読者のみなさんは、「タイムトラベル」という言葉を聞いても違和感はないだろう。タイムマシンに乗って過去や未来に旅するという話は想像できる。

しかし、人々がそんなことを普通に想像できるようになったのは、実はごく最近のことなのだ。それはＨ・Ｇ・ウェルズの小説『タイムマシン』に始まった。

背景に一九世紀から二〇世紀になるころの劇的な変化がある。科学技術の発展は目を見張る速度で起こり、自動車、飛行機、電信、電話などなど、短い間に人々の生活が様変わりした。すると、未来は現在とは明確に異なることが実感できるようになり、未来を予想することが始まったのだ。

『タイムトラベル』は、人間がタイムトラベルをどのようにして思いつき、それを表現してきたかを、ＳＦ小説、哲学、心理学、物理学などの成果を駆使して考察する。が、ずいぶんと話が拡散している。読み続けても、何かの結論へ収束していくことはない。それでも、ついつい全部読んでしまうのだ。

タイムトラベルについて考えようとすると、時間とは何かについて取り上げざるを得ない。ニュートンもアインシュタインも時間について考えた。が、それは、人間が必然的に持っている時間という概念を使って自然を描写する話だ。なぜ、そもそも人間が時間という感覚を持っているのかは、心理学、生物学の話になるのだが、そこはあまり触れられていない。

キリスト教哲学者であるアウグスティヌスが四世紀に語った言葉、「時間とは何であろうか。だれも私に問わなければ、私はそれを知っている。だが、だれか問う人がいて、その人に説明しようとした時には、私はそれを知らない」は、言い得て妙である。

あまたのＳＦ小説が語るタイムトラベルは本当に可能か？　「私」が過去の「私」に出会うとどうなる？　わからない架空のことのてんこ盛りがおもしろい。

＊

グリックの『タイムトラベル』は、時間旅行、タイムマシンという考えの起源を探った著作だ。ではそもそも、「時間」とは何なのか？　物理学で扱う「時間」という軸があるが、それは本質的に何なのだろう？　そういう疑問を扱ったのが、ロヴェッリの『時間は存在しない』

とバーバーの『なぜ時間は存在しないのか』である。

時間とは本当に不思議なものだ。現代の生活は、誰もが時間に追われる事態になっているのだが、実は時間なんて存在しない、ということになると、私たちの生活はどうなるのか？ でも、生物としての私たちにとって、時間は、いかにも重要な次元なのである。本当のところは、これら、物理学からの時間の分析に加えて、生物にとっての時間を分析し、物理学でいうところの時間の概念とどう整合させるのかを論じた著作が欲しいのだが、それはまだ見つけられていない。

Q60

元素はどこから生じたのか？

マーカス・チャウン『僕らは星のかけら』を読む

これはまた、実におもしろい読み物だった。原子の起源と宇宙論に関する話なので科学が苦手という人には少し荷が重いかもしれない。しかし、少しでも物理や化学に興味がある人は、次々とページをめくってその先を読まずにはいられないだろう。そう、学校で物理や化学を学んでいて、なにかおもしろい話のような気はするのだが、教科書はどうも……と思っているような高校生などには、これで、素晴らしい世界が目の前に開けるのではないだろうか？

すべての物質が原子からできていることは、だれもが学校で習ったはずだ。水素、酸素、鉄、ウランなどという元素があって、すべての物質は元素の組み合わせからできている。元素は有限の数しか存在せず、それらは、周期律表に規則的に並べることができる。原子もまたいくつかの構成要素を持っている。

が、もう一歩先の疑問を持ってみよう。万物を作っている元素は、そもそも、いったいどこから出てきたのだろう？　水素や炭素や窒素は、もとはどこでどうやって作られたのだろうか？　実はそれは、大昔に死に絶えた星から生まれたのである。

これが、本書の探究の対象である。

すべての物質を作るもとの物質は何かという、原子の探究。太陽はなぜ輝き続けられるのかという、物理の探究。そしてはるかかなたの星で起こっていることを調べる、宇宙の探究。一見関係がなさそうなこの三つが結びついて、原子の起源を探るという壮大な物語が展開する。科学の歴史をこんなにおもしろく描けるというのは、一つの職人芸である。それは、科学者がどのように考えて仕事をするのかが、臨場感を持って描けているからだ。

科学を志すかどうかは、科学の魅力に出会うきっかけに左右される。こんなにおもしろい本に出会えれば、若い人にとっては、きっとそんなきっかけになるに違いない。もちろん、もう遅すぎるが科学の世界を楽しみたいという人も、どうぞ！

Q61

フェルマーの最終定理はいかにして証明されたのか？

サイモン・シン『フェルマーの最終定理』を読む

フェルマーの最終定理がついに証明された。証明したのはイギリス人数学者アンドリュー・ワイルズ。一九九四年のことだ。証明にいたるまでの物語は、ピタゴラスから始まる人類二〇〇〇年の思考の集大成であり、多くの天才たちがかかわった、文句なしにおもしろく壮大なドラマである。

フェルマーの最終定理とは、（Xのn乗）＋（Yのn乗）＝（Zのn乗）の式には、nが3以上のときに整数解は存在しないというものだ。nが2のとき、この式は「直角三角形の斜辺の2乗は、他の二辺の2乗の和に等しい」というピタゴラスの定理である。この式を満たす整数をピタゴラス数といい、こちらはいくつも存在する。しかし、nが3になったとたん、それは存在しなくなる。

フェルマーは、一七世紀に生きたアマチュア数学者である。本職は役人で、裁判官も務めた。その彼が、『算術』という本の中で、先の定理を証明したと書いているのだが、その証明自体はどこにも見つからなかった。以来、多くの数学者たちがこれに取り組み、いくつもの貢献をしながら、ついに証明するには至らなかった。「最終定理」と呼ばれるのは、『算術』に書かれた項目のうち、この一つだけが証明されていなかったからである。

挑戦者リストには、大数学者の名前が並ぶ。二〇歳で死んだ天才ガロア、オイラー、コーシー、ガウス。そして、若くして自殺した日本人数学者、谷山豊とプリンストン大教授の志村五郎。この二人は、問題解決にあたっての重要なかぎの一つを提供した。これらの人々が、一見たがいに関係のないパズルを解いてきたところに、ワイルズが独自の天才的発想ですべてをまとめ、ついに証明を果たしたのである。

著者は物理学者で、ＢＢＣに転職し、この大ドラマの科学番組を制作した。第一級のドキュメントだ。そのときの取材に基づいて書いたのが本書である。難解な証明の内容など、わからなくて当然。それでも、数学という人類の知の素晴らしさ、証明したワイルズの苦難と喜びがひしひしと伝わる。

Q62 なぜ人は真理を探求するのか？

アイリック・ニュート『世界のたね』を読む

たいへん、おもしろく、楽しく、一気に読んでしまった。人間が自然界の成り立ちを探求し、何をどのように解明してきたかをつづった、科学史の物語である。

古代ギリシャから現代に至るまでの科学の発見や発明を、それにかかわった有名科学者たちの人生をまじえて紹介し、人類が自然を理解してきた道筋をふりかえっている。先輩が高校生ぐらいの若い人たちにお話をするといった感じの、読みやすい日本語である。

科学史の本は、退屈だったり、よくわからないままに終わったりするものが多い。退屈なのは、そこに書かれている科学の営みが生きていないからだ。自動人形のような学者たちが、次々と真理を塗り替えていくように話が進んでいくとつまらない。よくわからないのは、昔の人々がどうしてそう考えていたのかがうまく説明されていないので、今の知識を持った私たちに、昔の人がそう考えた必然性が実感できないからだ。

本書は、同じ材料をもとにしても、料理する人の腕が違えばこれほど違うものかと思うくらい、生き生きとしていておもしろかった。もしかしたら、これまでに読んだ科学史系の本の中で、一番おもしろかったかもしれない。それは、内容が生きており、考えの変遷がうまく扱われており、科学の考えとはどんな方法によるものなのかが、おのずとわかるように書かれており、そして、文章がいいからだ。

古来、人々はなぜ真理の探求を行ってきたのか？　その原動力は、理解したいという好奇心である。科学の歴史は人類の知的好奇心の歴史であり、それを抑えつけようとしたさまざまな力との闘いの歴史でもある。その力は、宗教の場合も、政治の場合もあるが、ほかならぬ科学の内部の権威や偏見である場合もある。

最近は、科学の発展がもたらした負の面が目立つようになってきた。しかし、科学の根源を問い直せば、知的好奇心だけで人間の暮らしが成り立つこともなく、それですべてが解決されることもないが、これが、消すことのできない人間の重要な活動であることもわかるはずである。

V

伝記·歴史·博物学をめぐるQ

Q63

黒人興行師の波乱万丈の生涯とは？

V・アレクサンドロフ『かくしてモスクワの夜はつくられ、ジャズはトルコにもたらされた』を読む

フレデリック・ブルース・トーマスという黒人がいた。一八七二年生まれ。アメリカ南部の黒人解放奴隷の子どもとして生まれ、父親を惨殺されたあと、一八歳で家を出る。シカゴ、ニューヨーク、そして、欧州に渡り、高級ホテルのベルボーイや給仕として研鑽《けんさん》を積み、エンターテインメントの世界に足を踏み入れていく。

二〇世紀初頭のモスクワで、アクアリウム庭園という遊びの場を演出し、富を築くが、ロシア革命でオデッサからトルコへと逃げる。この事件ですべてを失っても、トーマスはあきらめない。コンスタンティノープルで、人々の娯楽にジャズを導入し、またもや大成功を収める。欧州では、黒人差別はそれほどでもなかった。それにしても波瀾《はらん》万丈の生涯。何があっても七転び八起きの精神には脱帽するほかない。

この無名の黒人興行師を発掘し、これほどの読み物に仕立て上げた著者にも脱帽である。

Q64

ロックフェラーの息子に何が起きたのか？

カール・ホフマン『人喰い』を読む

一九六一年一一月、当時の世界一の大富豪ネルソン・ロックフェラーの息子、マイケルがニューギニアで失踪した。熱心な捜索が行われたが、真相は解明されなかった。当地はアスマットという人たちの土地で、彼らは敵対する人々と戦い、復讐《ふくしゅう》の殺戮《さつりく》を行い、首狩りをして犠牲者の肉を食べる風習を持つ人々だった。実は、マイケルはそこで起こった過去の争いの報復として殺され、彼らに食べられたのだ。当時の記録は存在するが、オランダがここをうまく統治していると国際舞台で主張し続けるために事実は抹殺された。

著者は若いころから「未開」にあこがれていたジャーナリストで、この事件の真相解明を志す。その過程で、彼はまさに文化人類学者が現地調査をするように、彼らの文化に溶け込まねばならなかった。本書は、事件の解明とともに、彼自身が異文化理解に開眼する、感慨深く貴重なドキュメンタリーである。

Q65 なぜ書物は破壊されるのか？

フェルナンド・バエス『書物の破壊の世界史』を読む

本書の著者は図書館学者で、イラク戦争後の二〇〇三年に、ユネスコ使節団の一員として、イラクでの図書館や博物館の破壊に関する調査を行った。そのときバクダード大学の一人の学生がつぶやいた言葉、「どうして人間はこんなにも多くの本を破壊するのか」という問いかけ。本書は、それに対する答えである。

文字の記録は、現在のイラクにあたるシュメール地方で、何千年も前に始まった。そのころの書物は粘土板だが、それらを集めた図書館も創設された。しかし、書物の破壊はすでにそのシュメールで始まる。古代ギリシャでも、古代ローマでも、アラブ世界でも、権力者と彼らに賢者と呼ばれた学者たちの中には、何万冊もの書物を集め、壮大な図書館を作る人たちがいた。しかし、為政者が代われば都市が破壊され、そのたびに、図書館は標的となって蔵書が消滅した。

スペイン人が南米を征服すれば、アステカの文書は破壊された。中世ヨーロッパの異端審問の時代には、人間も書物も何万と燃やされた。ナチスも、大虐殺を行っただけではなく、大量の書物を焚書《ふんしょ》にした。中国でも、古代から毛沢東時代まで、人間と書物の犠牲には事欠かない。

なぜ、書物は破壊されるのか？　一つには、書物がある種の記憶の記録であるので、そのような記憶を抹殺したいと考える集団がつねに存在するから。二つ目は、書物が、思想、考え、価値判断の表明であるので、気に入らない考えを抹殺したいと考える集団がつねに存在するから。三つ目は、自然災害と近代戦争時の空爆。世界史は、なんと蛮行の歴史であるか。

では、現在のデジタル化で、この状況はどうなるだろう？　一度ネット上に上がればなかなか消せないという強靭《きょうじん》さもあるが、ちょっとしたことで読めなくなる脆弱《ぜいじゃく》さもある。それより、人々が書物を読まなくなることが最大の「破壊」かもしれない。

Q66 「自分で考える」とは？

リチャード・ドーキンス『魂に息づく科学』を読む

リチャード・ドーキンスと言えば、『利己的な遺伝子』という書物を著したことで有名だ。それは、進化とは何かについての、非常に明快な一般書であった。あれから四〇年以上が経ったが、ドーキンスはさらに多くの著書を出版し、新聞や雑誌に投稿し、テレビに出演し、学会や集会で講演し続けている。

一九九五年、彼はオックスフォード大学の「科学的精神普及のための寄付講座」の教授に就任し、進化学のみならず、科学のために精力的な活動を続けてきた。本書は、それらの投稿記事や講演のうち、おもに二〇〇〇年代に出されたもの四一を収録している。

その一部は、進化に関して蔓延《まんえん》している数々の誤解を解くものだ。そのほかは、宗教やテロや法廷での陪審員の判断など、いろいろな社会的問題についての考察である。どれも、彼の論理展開はきわめて明快、レトリックは秀逸で、主張は並々ならぬ情熱に支えられている。

彼は徹頭徹尾の科学者であり、正しい合理的論証と事実による検証を基礎におく。しかし、論理やデータが価値観を生むわけではない。彼の価値観・信念は、自由と公正を重んじ、あらゆる通念をそのまま受け入れることはせず、自分で考えることだ。この「自分で考える」考え方が、論理と実証に基づき、わからないことはわからないと言い、わけのわからないものは受け入れず、何が示されれば自分の考えを変えるかの根拠がはっきりしている科学的方法なのである。この思考を宗教にあてはめると、宗教は妄想を生み、人々を狭隘《きょうあい》な考えに縛り付けるものだということになる。宗教に対する彼の攻撃は鋭く、小気味よく、妥協を許さない。反対する人は怒るだろうが……。

寄付講座の教授職は二〇〇八年に退いたが、ドーキンスは、科学的思考の厳密さ、美しさ、深遠さを世に伝える第一人者であり続けるに違いない。

Q67 なぜアメリカは戦争をやめないのか？

シャロン・ワインバーガー『DARPA秘史』を読む

DARPAとは、アメリカ国防総省のもとにある「防衛高等研究計画局」の略である。一九五七年の秋、ソビエトが初の人工衛星打ち上げに成功した。アメリカは宇宙開発で後れをとったことにショックを受け、翌年、アイゼンハワー大統領が「高等研究計画局（ARPA）」を設立した。これがのちのDARPAだ。

この組織の任務は、国家安全保障にかかわる問題を議論し、軍にさまざまな機材や方策を提供することだ。一流の科学者や技術者が数多くこの組織に参加する。心理戦も対象にしたので、人類学者や心理学者も加わる。

キューバ危機で軍は、大陸間弾道ミサイルを撃墜するには、いろいろな情報をたくさんのコンピューターで共有する必要があることに気づいた。そこでよばれた学者は、人とコンピューターの新しい関係をもとに社会を築くことを考えており、結局、このアイデアがインターネットの発明につながった。DARPAが手がけた研究で、のちに実を結んだものとしてもっとも有名なのは、インターネットだろう。

しかし、ＤＡＲＰＡの研究の当たり外れはとてつもない。ベトナム戦争時の悪名高い枯葉作戦。七〇年代に、潜水艦と交信するための手段として行った超能力の研究。レーガン大統領時代にはスター・ウォーズ計画。結局ＤＡＲＰＡはこれからは降りたが、三〇〇億ドルもの資金を投下したあげく、宇宙で核兵器を無力化するシールドはできなかった。武装無人機、先進レーダーなど、ベトナム戦争中に開発しようとしたものは、のちにヨーロッパで対ソ連戦に応用する研究となり、最終的に、精密誘導兵器、無人機、ステルス戦闘機などになった。冷戦終結後も戦いは続く。自動翻訳も自動運転も、湾岸戦争、イラク戦争、アフガニスタン紛争などと関係している。

アメリカはつねに戦争していて、具体的に解決するべき軍事的課題がある。すごいのは、その問題に対する取り組みが、自由奔放で奇想天外であるのを許していることだ。そして、ＤＡＲＰＡ職員の経歴の多彩なこと。民間企業、軍、大学、研究所などをどんどん渡り歩いている。これほどの職業の流動性があるからこそ、発想も豊富なのだろう。また、どんな苦境に陥っても、経費削減されても、つねに立ち上がろうとする粘り強さと負けじ魂。

しかし、もともと戦争の犠牲を最小限にするための技術的支援だったはずが、科学を戦争に応用しようという欲望が、永遠に戦争をなくせなくしている。エピローグでの著者による総合ＤＡＲＰＡ評は、個々の技術開発を超えて、根源的な問いを発している。

Q68

天安門事件とは何だったのか？

安田峰俊『八九六四』を読む

現在の中国では、ネットで「八九六四」の数字が入った決済ができない。一九八九年六月四日に起こった天安門事件について言及することはできない。それでも中国人のほとんどは満足している。人間は何が得られれば幸せになるのだろう？

天安門事件。学生たちが北京の天安門広場に次々と集結し、自由化、民主化を求めて声を上げた。が、中央政府は戒厳令をしいて、それを粉砕した。ある年齢以上の人々は、世界中に配信された、戦車の前に立ちはだかる一人の若者の写真を鮮明に覚えておられるに違いない。

あの事件はいったい何だったのか。本書は、天安門事件のとき、そのまっただ中や周辺にいた人々に対するインタビューをつづる。あれから二九年。中国国内にいる人、フランスやアメリカに亡命した人などなど。当時、どんな思いでしたか？

そこから浮かび上がってくる一つの事実は、これが、さしたる思想的背景もなく、目標が共有された運動でもなかったということだ。胡耀邦《こようほう》が亡くなったことをきっかけに、なんとなく若者たちの鬱憤《うっぷん》晴らしでハンストにまで至ったが、戦車で鎮圧された。あれ以来、中国は鄧《とう》小平《しょうへい》による改革解放政策で経済的に大躍進を遂げた。一方、貧富の差は拡大し、要人の腐敗は横行し、言論統制はますます強まった。

それでも多くの人々は現状に満足している。あの当時よりも生活は格段に豊かになり、北京五輪は大成功。今、また自由を求めて天安門広場に人々が集まったら、子どもを行かせますか？　いやー、難しいね。たぶん行かせないかな……。

中国共産党による言論統制は、ネット社会でますますひどくなる。しかし、そんな自由のなさよりも、金持ちになれることの方が嬉《うれ》しい。今は拝金主義に徹することで鬱憤を晴らしているのか？　日本の学生運動の行く末も含め、自由と幸せとは何なのかを考えさせられる。

Q69 信仰と科学の対立は解消できるのか？

アミール・D・アクゼル『神父と頭蓋骨』を読む

本書には二つの物語がある。一つは、有名な北京原人の化石が発見されたいきさつ。もう一つは、その北京原人発掘チームの一人であった、ピエール・テイヤール・ド・シャルダンの物語だ。

ときは第二次大戦の前。中国では共産党と国民党の内戦が始まり、日本軍が満州に進出する。その中で、絶滅した古人類の化石が北京の郊外で発見された。それは、当時知られていた数少ない人類化石の一つだった。資金提供者は、スウェーデンの皇太子、発掘チームには、スウェーデン人、カナダ人、フランス人、ドイツ人、そして中国人の科学者という、国際的なプロジェクトだった。

いよいよ日本軍が目前にせまり、安全な場所に避難するため、化石や石器の数々が梱包された。そして、すべてが消えてしまったのである。以後、その行方はまったくわかっていない。

それ自体たいへん興味深い話なのだが、本書の主体は、テイヤール・ド・シャルダンという人物にある。一八八一年フランス生まれ。れっきとしたイエズス会の神父でありながら、生物の進化を信じる優れた科学者でもあった。イエズス会側からすれば、この二つが両立することはなく、テイヤールの書いた書物を出版することを許さなかった。そもそも、彼がなぜ北京にいたかと言えば、イエズス会から島流しも同然に中国に送られたからなのである。

逆境の中でテイヤールは、神と進化を両立させる独自の哲学を確立していく。進行を捨てて存分に科学界で活躍するという手もあったが、彼はそれを選ばなかった。アメリカ人の彫刻家の女性と親しくなるが、彼はプラトニックな関係を崩さなかった。こうして、筋を通すことで、自分も周囲の人々も、不幸に導いていく。それでも、彼は最後まで、教会に対しても彼女に対しても、あきらめることはなかった。シトロエン主催の中央アジア踏破にも参加した、活動的な人でもあった。

テイヤールは、人類学の発展の黎明期に、信仰と科学の対立を解消しようと知性を傾けた。その闘いは、現在も終わってはいない。静かな緊張感に満ちた書である。

Q70 科学は宗教にとって替われるか？

リチャード・ドーキンス『悪魔に仕える牧師』を読む

本書は、『利己的な遺伝子』を始めとする多くの科学啓蒙書で有名なドーキンスのエッセイ集である。彼がこの二五年間に書いた文章の中から編者が選び出し、七つのテーマにまとめたものだ。

彼の著作は、明晰で、気が利いていて、さまざまな生き物の話が詰まっていて、たいへんにおもしろい。論争の話題になると最初の二つの性質がますますさえてきて、彼の考えに賛成するかしないかはさておき、飽きるということは決してない。本書でも、その魅力は遺憾なく発揮されている。

ドーキンスは、進化生物学者で、オックスフォード大学の教授だが、その肩書きは、「公衆の科学理解の向上」のための教授である。そのような目的で作られた講座なのだ。過去二五年に、新聞や雑誌などに彼が書いてきた膨大な量のエッセイの一部をこうして眺めると、確かに彼はその役目を忠実に果たしてきたことがわかる。

題名の「悪魔に仕える牧師」とは、ダーウィンがケンブリッジ大学に入学したころ、無神論を展開して大学を追い出された、ロバート・テイラーのことだ。一九世紀、英国国教会はそれほど大きな権力を持っていた。欧米における宗教の強さは、日本にいては想像もつかないほどなのだ。

ダーウィンの後継者、トーマス・ヘンリー・ハックスレーは、今のドーキンスと同じように、一般大衆への科学の普及に努めた。その彼は、自分を「不可知論者」と呼んだ。科学が進めば、必然的に宗教の影は薄くなり、宗教界との確執が避けられない。とくに生物が進化したということ、人間もその進化の産物だということは、宗教とは真っ向から対立する。

本書で語られている内容のほとんどは、おもしろくて説得力がある生物進化の話だ。ここにもう一つ通っている筋は、証拠に基づかない議論を信じる、「宗教」という活動に対する反論だ。宗教の危うさはよくわかる。しかし、科学は宗教にとって替わることはできないはずだ。本書は、明晰な科学的思考に忠実に、いさぎよく宗教を切り捨てた無神論者の信条の書ともいえよう。

Q71

人間にとって毛皮とは何か?

西村三郎『毛皮と人間の歴史』を読む

毛皮のコートの「実力」を身にしみて感じたのは、真冬のチェコとドイツを旅したときだった。東京などとは比較にならない寒さである。毛皮は自然の作品であるから美しい。しかし、単なる装飾ではない。当の持ち主の動物を暖めるものであり、さすがに実用的意味があるのだと悟った。

本書は、こんな卑近な私の経験と結びつけて語るのはとてもおこがましいくらい博覧強記、古今東西の毛皮にまつわるすべての博識を集大成したと言ってもよい力作である。ここには、アジアとヨーロッパ、のちには新大陸も含め、人類のほとんどの歴史が詰め込まれている。単に毛皮の話ではない。確かに、毛皮と「人間の」歴史である。

著者は、海洋生物学者で、教養あふれる博物誌の著作をいくつも残したが、これが遺作である。

アフリカの暑い地方で誕生した生物である人類が、全世界に広まるには、動物の毛皮をまとうことが必須であった。しかし、毛皮は奢侈《しゃし》の象徴でもある。以後、ヨーロッパ、ロシア、モンゴル、中国、北アメリカなど、資本と文明のあるところ、つねに欲しがられてきた。キタリス、クロテン、オコジョなどが珍重される。珍重されれば交易の重要な対象となる。そうすると、航海、探検、征服、略奪となる。毛皮に対する欲望を中心に人間の政治経済史が語られていく。

一五世紀ノブゴロドからヨーロッパへ、リスの毛皮が一樽に一万枚つめて送られたとか、一九世紀、ロシア＝アメリカ会社が、二〇年間にラッコだけで二万五四一五枚取引したなど、人間は、どれほど多くの動物を殺してきたことか。思えば、空恐ろしいほどだ。

日本はそれほどの毛皮文化ではないが、奈良から平安にかけて、貴族たちの間で熱狂的毛皮ブームがあり、何度も禁止令が出たこともあった。あまり知られていない日本の皮革の歴史もていねいに掘り起こされている。

これまでも著者の作品はつねに一級の博物誌であったが、本書は遺作にふさわしい大作である。西村先生、もう次はないのですね。

Q72

古代エジプトの女性は自由だったのか？

ジョイス・ティルディスレイ『イシスの娘』を読む

古代エジプトのイメージといえば、砂漠にそそりたつピラミッド、ミイラ、そして、大きな目を際立たせる独特の様式で描かれた人物壁画ではないだろうか？　そこから感じられるのは永遠の静寂であり、あの文明を実際に生きた人々の生活を想像するのは難しい。

残されている遺物の多くは権力者のものに限られるので、市井の人々の生活を復元するのは、考古学的にも困難である。さらに、女性の生活の様子が残されることはほとんどないので、彼女らについて知ることはもっと難しい。

本書は、イギリスの女性考古学者が、このような二重三重の困難を乗り越えて、古代エジプトの女性たちがどんな暮らしをしていたのか、できるだけ先入観を除去し、数々の資料を駆使して復元しようとしたものである。

古代エジプトにおいても、他の多くの文明と同様、女性は男性よりも低い地位しか与えられていなかった。多くの文書が残っていても、女性について書いたものは少なく、美術品の中にも女性が描かれることはあまりない。それにもかかわらず、エジプトの女性は、古代ギリシャやローマの女性に比べると自由で、社会の中に出て活動していた。そして、自分個人の財産を所有することもできたし、一人で暮らすという自由さえあった。

第一章でこのような導入があり、第八章まで、結婚生活、主婦の仕事、お洒落、女王となった人たちの人生、お墓などから、女性の生活を描き出していく。しかし、やはりなんとも歯がゆい思いは、最後まで消えることがない。女性に関して残されたものが少なすぎるのだ。ごく最近になるまで、どの文明においても、女の生涯とは、あえて記録されることもなく、こうして消えていったのだろう。

しかし、どこでも人口の半分である女は綿々と生活を支え、文明を支えてきたのだ。そして、墓の壁に必ずや夫よりも小さく描かれていながら、必ずしも不幸な人生ではなかった。パピルスに記された断片的な記録や、サンダルや化粧品のつぼを見るとき、五〇〇〇年前に生きた女性たちの感覚が、著者の努力によって、ふと身近なものとしてよみがえってくる。

Q73

日本では個はどこにあるのか？

池上英子『名誉と順応』を読む

日本文化とはいったい何だろうか？　日本の伝統、日本的気質などと言われているものがどういういきさつで日本文化になったのか、その本質は何か、日本人である私たちは、往々にして知らない。

日本は、古来より女性に力のある文化であった。それが、武士の興隆とともに男性的な「名誉の文化」が有力となる。以来、西欧から見ても、「サムライ」という存在と彼らの考え方を中心に日本がとらえられるようになった。

では、サムライとは何で、彼らの精神はどのようにしてできあがったのだろう？　サムライは名誉を重んじる。西欧にも同じような名誉の文化は存在するが、地中海世界やアメリカ南部に典型的に見られる名誉の文化が、恥に対して個人が暴力をもって自己防衛するのに対し、日本のサムライ文化は必ずしもそのように暴力的ではない。それはなぜなのだろうか？

また、良くも悪くも日本社会の特質は集団主義であると言われるが、では、日本では個はどこにあるのだろうか？　サムライにとって、個の主張と集団の利益との対立はなかったのだろうか？

本書は、このような問題を歴史社会学的に深く掘り下げた力作である。日本文化の一つのルーツであるサムライについて、多くの資料を多角的に分析していて迫力がある。

私にとって本書が非常におもしろかったのは、これが、個の利益と集団の利益の間の葛藤《かっとう》とその調整を見事に描き出しているからだ。

武家社会の成熟とともに、個人ではなく集団にアイデンティティーをおく、飼いならされた名誉の文化へと変容したという議論が、たいへん興味深い。

個と集団の間の葛藤は、社会生活をする動物には必ずつきまとう問題であり、生物学で詳しく研究されている。著者の学問領域と生物学とは異なるが、考え方の枠組みには共通性を感じさせられた。

ところで、本書は、日本人の著者が英語で書いたものを、他の日本人が日本語に訳した本である。訳はよくできているのだが、本書を読むと、もとの文章の作り方がまさに英語の言い方であったことがよくわかる。この翻訳によって、改めて彼我《ひが》の言葉のセンスの違いをも感じることができた。

Q74 キュリー夫人の真の姿とは？

スーザン・クイン『マリー・キュリー（1・2）』を読む

私は小さいころから科学者になりたいと思っていた。それにはいくつかの理由があるのだが、キュリー夫人という女性の存在を知ったことも、その一つのきっかけであった。女性で、ノーベル賞を二つも獲得し、しかも結婚して家庭ももっていた。それは、あこがれの人である。小さいころに読んだのは、娘のエーヴ・キュリーが書いた『キュリー夫人伝』であった。これは、いわゆる「偉人伝」である。しかし、私は結局、物理化学者ではなく生物学者になったので、キュリー夫人について、その後はたいしたことは知らずにいた。

最近になって、キュリー夫人の日記が公開されるなどして、新たな資料が手に入るようになった。スーザン・クイン著『マリー・キュリー（1・2）』は、それらを駆使して、生身のマリー・キュリーその人の実像にせまった、初めての労作であろう。

ロシア占領下にあるポーランドで生まれ、幼いころから才能をあらわにし、ヨーロッパの中心地の一つであるパリで学位をとろうと決意した少女。姉が先にパリに出、マリーがのちに姉を頼って生活する。その苦難をものともしない勉学の日々、そして、ピエール・キュリーとの幸せな結婚と共同研究は、「偉人伝」でも十分に語られていた。

スーザン・クインの伝記の圧巻は、夫に死なれて失意のどん底にあった彼女が、やがて同僚で年下の科学者、ランジュヴァンと熱烈な恋愛をするところ、そして、二度もノーベル賞をもらっていながら、フランス科学アカデミーが彼女の会員選出を拒否するところである。この二つの出来事は、二〇世紀の前半という、まだまだ女性差別の強かった時代背景を抜きにしては語れないだろう。

本書は、こぎれいな「偉人伝」ではない。意地と失意と恋愛と破局、社会からの拒絶とそこからの復活と、ともかく精いっぱい、自己を信じて駆け抜けていった女性の傷だらけの人生が描かれている。マリー・キュリーは賢い女性の鏡だと思っていた人、科学者は理性的で面白くない人間だと思っていた人には、ここではまったく異なるキュリー夫人像が得られるだろう。

伝記の書き方は、作家の視点による。本書は「神話」的キュリー夫人像を打ち砕いたが、これが実像かどうかは、まだ議論がある。しかし、一人の女性像として間違いなく素晴らしい。

Q75

ボーヴォワールはフランスを変えたか？

クローディーヌ・セール『晩年のボーヴォワール』を読む

本の中には、どんなにおもしろいと思って読んでも、その後二度と読み返すことのない本と、楽しんで何度も読み返す本とがある。それとは別に、これは読まなくてはと思って手元に置いておきながら、なかなか読まない本、たとえ少し読み始めても読み終えることなく、しかし、心から追い払うことのできない本もある。数年前、イギリスでこの第三のカテゴリーの本として何をあげるかを著名人に尋ねたところ、ジョイスとプルーストが上位に上がったという話をきいた。

私にとって、シモーヌ・ド・ボーヴォワールの『第二の性』は、そのような本である。彼女の他の作品、たとえば『他人の血』や『招かれた女』などは、どれも心にしみいる作品で、没頭して読んだ。しかし、もっとも有名な作品であり、もっとも物議を醸し出し、もっとも議論される、彼女の代表作である『第二の性』は、なかなか読み通せないでいる。私と考えが少しあわないからだ。

しかし、ボーヴォワールという人には非常に強い魅力と興味を感じる。それゆえに、彼女の作品も、いろいろな伝記も読んだし、年とってからの彼女が出演したフランスのテレビ番組も見た。考えがあわないながら、私にとって精神的支柱となる人である。

『晩年のボーヴォワール』は、私と同じくらいの世代のフランス女性が、晩年のボーヴォワールと活動をともにし、彼女との交流でいかに自分を変え、また、彼女らの活動がいかにフランスを変えたかをつづったものである。

単に晩年のボーヴォワールの人生を伝記的に書いたものではない。彼女の著作によって新しい目を見開かされた著者が、実際にボーヴォワール自身とつきあうことによって自分自身の人生をどのように築いていったかを述べている。とくに晩年のボーヴォワールが力を入れ、著者もいっしょに行った、中絶の合法化を目指し、女性に対する暴力に反対する運動の成り行きに焦点をあわせている。

一九六〇年代から七〇年代にかけてのヨーロッパは文化的な革命期にあった。それを担ったのは若い学生たちだが、一九四九年に『第二の性』を書いたボーヴォワールは、確かにその革命の中心にいた。そのときから死までの彼女の生の声を収録した本書は、改めて彼女に尊敬の念を抱かせるとともに、さて日本は、と考えさせるのである。

Q76 「英国の変人」の生涯とは？

ジュディ・テイラー『ビアトリクス・ポター』を読む

ピーター・ラビットのお話は、日本でも大人気である。白い箱に入った「小さな本」は、まぎれもない子どものお話でありながら、独特な挿絵によっていっそう素晴らしい魅力をたたえ、おとなも虜《とりこ》になってしまう。その作者、ビアトリクス・ポターとはどんな人物だったのだろうか？　著者のジュディ・テイラーは、生前に交流のあった人々を見つけ出し、新たな逸話を発掘するなどして、ひときわ生き生きとその人物像を描き出している。

ロンドンの裕福な家に生まれ、毎年、休暇は一家そろって田園の屋敷ですごした。英国の伝統である自然誌の絵を描き、湖水地方に広大な土地を買い求め、ナショナル・トラスト運動の中心となった。

これは、たいした女性である。湖水地方に水上飛行機が現れるや、その騒音撲滅のキャンペーンをはる。自由貿易には反対。生産農地を遊びに使うのは「だめ」と言って、自分の農地の一部を村のボウリング場に寄付することは断る。家に電気は引かない。社会主義は嫌い。断固として自分の世界がある、頑固で保守的な人なのだ。

絵本作家として彼女を世に出した編集者のノーマン・ウォーンと、四〇歳近くなって恋をし、結婚の決心までするが、彼が急逝したためにかなわなかった。彼女のナショナル・トラスト運動の後ろには、ブレーンとしてハードウィック・ローンズリー牧師がいた。彼にとって、彼女は意中の人であったらしい。四七歳になってから結婚した夫のヒーリスとは、本当はどんな関係だったのだろうか？

本書には、写真好きの父親が撮った人物や風景の写真が豊富に掲載され、縞柄《しまがら》の靴下をはいたきりっとした女の子が、やがて自立した女性になり、意志の強い中年の農園主になっていくさまが、手に取るようにわかる。かわいらしいお話を書いたこの女性は、決してかわいいだけではなかった。古い伝統に従いつつ、強烈な個性を持った、「英国の変人」の一人であったと言えよう。

Q77

科学者の良心とは何か？

ジョン・L・ハイルブロン『マックス・プランクの生涯』を読む

マックス・プランクの名は、アインシュタインほどには一般に知られていない。しかし、彼は量子力学の創設者の一人であり、プランク定数という物理定数に名を残す、ドイツの物理学者である。また、彼の名を冠したマックス・プランク研究所というのが、ドイツ国内にいくつも散在している。

私がこれまで人間プランクについて知っていたことと言えば、自分の新しい考えを年長の学者たちに認めてもらえなかった彼が、「新しい考えは、古い世代が考えを変えることによって広まるのではない。古い世代が死に絶えて新しい世代と入れ替わることによって広まるのだ」と言ったということだけであった。

この言葉から、私はなんとなく反骨のすねた若者を想像していたのだが、もしそうだったなら、プランク定数はあっても、マックス・プランク研究所はなかったに違いない。本書を読んで初めて知ったが、事実、彼は、大学の学長や研究所の所長を歴任した、長年にわたる政治的「大物」であったのだ。

プランクは、一八五八年に生まれて一九四七年に死んだ。この時代のドイツに生きれば、戦争とナチズムに無関係でいられるはずはない。アインシュタインはユダヤ人であったため、ナチスの攻撃のまととなった。その攻撃は、物理学者たちからも向けられた。プランクは、物理学上の論争では、アインシュタインの業績を評価した。しかし、政治的な動きと結びついた学者たちがアインシュタインを弾劾したとき、彼は最終的に沈黙を守った。

彼は、原爆が作られる可能性も憂慮した。しかし、戦前から彼が創設に尽力したカイザー・ウィルヘルム研究所(現マックス・プランク研究所)こそが、ドイツの原爆開発の拠点となった。プランクは、一九世紀的な教養と謹厳《きんげん》さを身に着けた学者であり、あの激動の時代の中枢にあってつねに政治的「灰色」で通した。彼が灰色であったことで、守られたものもあれば、裏切られたものもある。科学者の良心とは何か、一筋縄ではいかない問題である。

Q78

なぜ天才数学者は愛されたのか？

ポール・ホフマン『放浪の天才数学者エルデシュ』を読む

一九七四年、ハンク・アーロンは七一五本目のホームランを飛ばし、一九三五年にベーブ・ルースが作った通算七一四本の記録を破った。この、七一四と七一五という数字には不思議な性質がある。七一四の素因子（素因数）の和は、七一五の素因子の和に等しい。つまり、$714=2\times3\times7\times17$、$715=5\times11\times13$。そして、$2+3+7+17=5+11+13=29$である。

このように、連続する整数で、双方の素因子の和が等しい数のペアを、「ルース＝アーロン・ペア」と呼ぶ。さて、ルース＝アーロン・ペアはこれ以外にも存在するだろうか？　ポール・エルデシュは、それが無限に存在することを証明した。

この話は、エルデシュという天才が成し遂げた膨大な業績の中の、ほんのつまらない一コマにすぎない。彼は、八三年の生涯に、四八五人の共著者とともに一四七五本の論文を書いた整数論の専門家である。素数をこよなく愛し、素数を知り尽くしていた。

一九一三年にハンガリーで生まれたエルデシュは、三歳のときから三けたの数どうしの掛け算を暗算でできる神童だった。第二次大戦とその後の冷戦とに振り回されたからでもあるが、自らの性格もあって、終生、財産も家も持たずに放浪した。一人でジュースのパックも開けられない。数学者の友人の家に転がり込んでは、洗面所を水浸しにする。家の主が起きてくるとさっそく、「nを整数としよう……」と話し始める。

神は信じないが、「至高のファシスト（SF）」という全能の存在がいて、数学のすべての答えが書かれた「ザ・ブック」を持っていると思っている。エルデシュにとって、人生とはSFに対する挑戦である。

笑える逸話だらけの迷惑の王様なのだが、みんなエルデシュが好きだった。天才ばかりでなく、数学を愛する人と考えを分かち合うのが心底好きだったからだ。他人が考える手助けをし、若い才能を発掘することを喜んだ。本書は、数の不思議の話であるとともに、まれに見る数学脳の持ち主と、彼を支えた友人たちとのヒューマニズムの物語である。

Q79

中世の人々にとっての旅行記とは？

ジャイルズ・ミルトン『コロンブスをペテンにかけた男』を読む

足が一本しかない。しかも、その足がひどく大きいので、雨が降ってきたときには、足で頭をおおって傘がわりにすることができる。エチオピアとは、そんな人種の住む土地である……マンデヴィルの旅行記と呼ばれるものは、こんなとんでもない大法螺《おおぼら》の怪物譚《たん》に満ちている。彼は、一三二二年にイギリスを出て、三四年間にわたってインドネシアまで旅した果てに故国に帰り着いたと称している。

中世の人々にとって、世界はまだまだ闇《やみ》に包まれていた。当然、うそがいっぱいの旅行記がたくさん出版され、人々はそれをうのみにした。マンデヴィルの旅行記も、長い間、そんなトンデモ本の一つだと思われていた。作者自身の存在さえも疑われていた。

私もそうだと思っていた。しかし、本書の著者は、本当はどうだったのかを確かめようと探索の旅に出る。一つは、古文書の山に埋もれて過去にさかのぼる旅。もう一つは、マンデヴィルが旅したはずの地域をたどる、現代の中近東の旅である。著者はジャーナリスト。イギリスの大学で中世文学を学び、ラテン語が読める。中東にコネがたくさんあるらしく、イスタンブールからシナイまで、マンデヴィルの〝足跡〟を求めて歩き回った。

そうしたところ、マンデヴィルは本人の言う通りイングランドはセント・オールバンズの生まれであったし、中東までは本当に旅行していることがわかった。奇妙な怪物・怪風習の話は、当時のキリスト教に対する一種の非難であったのだ。

別に、実際に面と向かってコロンブスをペテンにかけたわけではない。しかし、彼は、東に東にと行けばやがて世界を一周して戻ってこられると書いている。それを読んだコロンブスが、怪物譚も含め、これは真実に違いないと信じて航海に出たのであった。

古文書による謎《なぞ》解きと現代中東の旅とが合わさって、一四世紀の一見うさんくさい旅人の意図が徐々に姿を現す。たいへん魅力的な一冊である。

Q80 博物学者は世界を変革したのか？

ピーター・レイビー『大探検時代の博物学者たち』を読む

アルフレッド・ラッセル・ウォレスは、マレー諸島の密林で、極彩色のフウチョウの群れが求愛の踊りを踊るのを目前にする。ヘンリー・ウォルター・ベイツは、アマゾンの森林で昆虫を採集しようとやぶに入ったとたん、六メートルもあるヘビに巻きつかれてしまう。ジョセフ・フッカーは、ヒマラヤで、触れればそのまま壊れてしまいそうな繊細なランの花を、次から次へと瓶詰めにして英国に送る——ときは一九世紀。場所は、アフリカ、南アメリカ、インド、ネパール、ヒマラヤ、南極などなど。これらの地域の詳細は、当時、ヨーロッパ世界にはほとんど知られていなかった。

一九世紀のイギリスは、国をあげて、探検と冒険、未知のものの記載と征服に膨大なエネルギーを費やした。こうした中で、進化の考えが生まれ、人間と動物、未開と文明といったステレオタイプな分類に、亀裂が入っていく。本書は、見知らぬ動植物を記載し、標本収集を行うという興味のもとに、未知の地を旅した、一九世紀イギリスの博物学者たちの活動を概観し、彼らが、本国の人々の世界観にどのような変革をもたらしたかをつづったものである。

裕福な紳士階級の博物学者もいれば、標本を売ることで生計をたてていた者もいる。好むと好まざるとにかかわらず、彼らは、英国帝国主義政策の先兵でもあった。ビクトリア朝のおかたい衣装に身を包み、西アフリカを旅して、カヌーの上からワニの鼻面をたたいていたメアリー・キングズリーという女性もいる。

今や、パックツアーでヒマラヤにもガラパゴスにも行ける時代だ。もう、よほどのことをしない限り「探検」はできない。ゴアテックスのコートもエンジン付きゴムボートも抗生物質もない、死と隣り合わせの旅。しかし、一週間で一〇〇〇種もの新種が記録されるような旅。ああ、なんという時代であったことか。

博物館や植物園は、帝国主義のどん欲さの展示場だと言われることがある。それはそうだが、このような探検家たちの成果は、生物多様性の理解に確固とした基礎を提供しているのである。

Q81

二〇世紀とはどのような時代だったのか？

朝日新聞社『100人の20世紀（上・下）』を読む

二〇世紀とはどんな時代だったのか。本書は、さまざまな分野の一〇〇人の人物を通して、二〇世紀という時代を浮き彫りにしようとする、精力的なルポルタージュだ。もともと『朝日新聞』日曜版に連載された記事を、二冊にまとめたものである。

連載の最中には、一つ一つ、取り上げられた人々の知られざる側面などに感心して、毎週おもしろく読んだ。アインシュタインのアルコール漬けの脳の話、カラヤンの突然死の瞬間など、現代史もまたドラマの連続だ。しかし、それが全部一堂に集められ、一〇〇人全部を通して読むと、また新たな感慨がわいてくる。

まず第一に、二〇世紀は戦争と科学技術の時代であった。戦争は、いつの世にも頻繁にどこかで起こっていたし、科学の発展も今に始まったことではない。しかし、二〇世紀にはこの二つが大規模になり、広く世界中の人々に影響を及ぼすようになった。

科学と技術の分野で二〇世紀のもっとも重要な産物は、核兵器、コンピューター、抗生物質と農薬、そして遺伝子の解明であろう。オッペンハイマーが苦悩とともに開発した核兵器は、すべての人類を一瞬にして殲滅《せんめつ》できる手段を提供した。ノイマンが生んだコンピューターは、だれもが思いもつかなかった変化を人々の生活にもたらし、世界をひとつにつなげた。

抗生物質の発見と農薬の発達は、多くの病気や害虫から私たちを解放したが、人口の急激な増加と環境汚染を生じさせた。「沈黙の春」を嘆くのは、もはや孤高のカーソンだけではない。

芸術、スポーツ、映画その他の分野で見ると、二〇世紀の特徴は、なんと言ってもその大衆化、マスメディアによる威力ではなかろうか? これも通信と交通の発達によるのだが、流行もスターも、もう決してローカルではおさまらない。

こうしてみると、二〇世紀とは、地球上の人間たちが名実ともに、丸ごと一つの運命共同体になった時代ということであろうか。

Q82

なぜ人は山に登るのか？

J・ヘムレブ＋L・A・ジョンソン＋E・R・サイモンスン『そして謎は残った』を読む
夢枕獏『神々の山嶺（上・下）』を読む

急斜面に横たわる遺体の写真は強烈な印象を残す。白骨ではなく、ミイラでもなく、厳寒のエベレストの風雪にさらされ、ぼろぼろの衣服がはりついた白い肉体は、古びてはいるのだが、まさに今、滑り落ちてそこにとどまったかのような存在感がある。この遺体こそ、一九二四年の登頂行で消息を絶った伝説の登山家、ジョージ・マロリーの遺体なのである。

なぜ山に登るのかという問いに対し、「そこに山があるから」と答えたという登山家の話は、だれもが聞いたことがあるだろう。それがマロリーである。その彼の最後のエベレスト登頂行には、いくつもの謎《なぞ》が残されている。あの天才と呼ばれたマロリーがどこで間違えたのか、彼と同僚のアンドルー・アーヴィンの二人は、本当に登頂に成功したのだろうか、それとも、頂上に行き着く前に遭難したのだろうか？　彼らが消息を絶ってからの七五年間、さまざまな断片的な情報が得られ、アーヴィンのアイスアックスなど、いくつかの遺品も発見されたが、謎は残されたままであった。

『そして謎は残った』は、マロリーとアーヴィンの遺体を探し出し、彼らの登頂行の謎を解こうとして組織された、マロリー／アーヴィン調査遠征隊のドキュメンタリーである。そして遠征隊は、ついにエベレスト北面八一六〇メートル地点で眠るマロリーの遺体を発見したのだった。

この本のおもしろさは三重にある。一つは、もちろん、一九二四年のマロリーとアーヴィンの登頂の謎である。彼らが残した手紙や、そのときに撮影されたフィルムなどの豊富な証拠から、あの運命的な登頂行が再現される。もう一つは、一九九九年のマロリー／アーヴィン調査隊のエベレスト登頂記録である。

第三には、この二つの遠征が共通して持つ、このような大掛かりで命がけな組織と計画につきものの、人間同士の葛藤《かっとう》と友情の物語である。計画、資金調達、挑戦、そして勝利または敗北。

結局、マロリー登頂の謎は残ったのだが、このドラマには、だれもが感動せずにいられないだろう。

＊

山、高い山、とくにエベレストは、別に山登りが趣味でもなく、好きでもない人たちにとっても、独特の魅力を放っているのではないだろうか。ヘムレブらの著作は、史実を追いかけるドキュメンタリーとして一級の作品だと思う。それに対して、小説の世界で、エベレストに対する挑戦の心を描いた傑作として、夢枕獏『神々の山嶺』を挙げたい。

私は、若い頃に房総半島の山の中に生息する野生ニホンザルを追いかけて研究し、その後、アフリカのタンガニーカ湖のほとりに生息する野生チンパンジーの研究を行った。こういう野外調査は、起伏のある土地を縦横無尽に動き回って野生動物を追いかけるのが基本である。研究は、それができて以後の付け足しだ。そういう経験から、山登りという行為を見ているだけであり、その後、少しはスイス・アルプスなどを歩いてみただけなのだが、山登りに対する憧れは理解できる。

その意味で、『神々の山嶺』は大変おもしろく読める傑作であった。

Q83 ダーウィンの偉業とは?

A・デズモンド＋J・ムーア『ダーウィン』を読む

チャールズ・ダーウィンは、一九世紀最大の科学者の一人である。いや、一九世紀だけでなく、これまでに存在したすべての科学者の中で五本の指に入る人だろう。ダーウィンの業績は、なぜ生物が進化するのか、そのプロセスを精密な科学理論として提出したところにある。以後一〇〇年以上を経て、この理論に基づく生物学の一分野は、進化生物学として花開いた。そればかりでなく、進化の考えは、人間を含むすべての生物の現象を横に結ぶ理論として、人文社会系の学問にまで広く影響を及ぼしている。

本書は、そのチャールズ・ダーウィンの詳細な伝記である。裕福な医者の家に生まれ、幼くして母をなくした以外には何不自由ない暮らしを送った紳士階級の科学者。二〇代の前半に帆船で世界を一周し、異国の動植物や民族誌に存分に触れる機会を持つ。これまた大金持ちのいとこと結婚し、自分の階級にふさわしい立派な家庭を築いたよき父親。病気がちで社交嫌い。

こんな人物であるから、場合によっては退屈で保守的な常識人で終わったかもしれないのだが、一九世紀イギリスの宗教権力を相手に、生物進化の理論を展開し、さらには人間の進化までも考察した。これはたいへんに勇気のいる仕事であった。本書は、表面的にはビクトリア朝イングランドの紳士そのもののような生活を送りながら、世の中をひっくり返す学説を展開した男の、精神的波乱万丈の生涯の検証である。

しかし、過去の人物であるから、伝記には必ず伝記作家の観点による脚色が入る。本書の著者らは社会的要因を重視する研究者なので、ダーウィン個人を、あの当時の歴史的、社会的背景の中でとらえようとする。私自身は、科学の営みは、もう少し社会や政治を超越したところで動いていると思うので、著者らの描き方に全面的に賛成ではない。

なにはさておき、本人自身がたいへんに興味深い生活を送った興味深い人物である。これほどのスケールの学者は、科学が細分化した現代では、もう二度と現れることはないのかもしれない。

Q84 民族植物学とは何か？

マーク・プロトキン『シャーマンの弟子になった民族植物学者の話（上・下）』を読む

民族植物学という学問分野をご存じだろうか？　これは、世界のさまざまな地域で、その土地の住人たちがその土地の植物をどのように利用しているかを探求する、広義には民族学の一分野である。

本書は、南米アマゾンの先住民たちが治療のために現地の植物をどのように利用しているかを、アメリカ人である著者が研究してきた、その活動のまとめである。この調査のために著者は先住民の村に住み込み、そこの呪術《じゅじゅつ》医に弟子入りする。嫌われたり無理解にあったりしながら苦労を重ね、少しずつ秘伝を伝授してもらい、さらには、先住民自身の若い世代の人々にこの秘伝の継承をしてもらうよう、地道な活動を続けてきた。それは、異文化交流でも、民族植物学の研究でも、先住文化の保存でも、実に一流の仕事である。

東アジアにも漢方があるが、民間伝承で使われてきた自然の生薬《しょうやく》というものは、あながち迷信ばかりではない。世界各地の先住民たちが、それぞれの歴史の中で築いてきた独自の療法には、現代の化学が学ぶべきものが豊富にふくまれている。実際、エイズ、がん、避妊、その他さまざまなものに対する合成薬品の多くは、先住民たちの知恵から借りてきたものが豊富にあるのである。

アマゾンという現代の辺境における旅行記としても、異文化交流の記録としてもたいへんにおもしろい。これが成功した理由は、一にも二にも著者の人間的な温かさによるのだろう。南米の歴史や文化に関する造詣《ぞうけい》も深く、エピソードはどれもおもしろい。

しかし、世界の変化は辺境の地にも押し寄せている。先住民文化を肌で体験できるのは、著者の世代が最後となるかもしれない。抗生物質や農薬は、戦後の人間社会が発明した「魔法」の一つであろうが、これでばい菌が根絶できたわけではない。病原体との闘争は今に始まったことではなく、人類が何万年という時間の流れの中でこの問題につぎ込んできた英知が、だれにも知られることなく消えてしまうかもしれないとは、かえすがえすも口惜しいことである。

Q85

ポーリングとファインマンの関係とは？

テッド・ゲーツェル＋ベン・ゲーツェル『ポーリングの生涯』を読む

ライナス・ポーリングは、今世紀の化学者の中でもっとも影響力があり、センセーショナルでもあった人物である。彼は、化学結合はどのようにできているのかに関する理論を整備し、新しく生まれつつあった物理化学という分野に大きな貢献をした。私も、学生時代にポーリングの教科書を使ったのでとくに親しみを感じているが、そのような元学生は大勢いるに違いない。

ポーリングは、ＤＮＡの構造解明をめぐってワトソン、クリックの二人と激しい競争を繰り広げた相手の一人でもあった。彼自身も、実にいいところまで進んでいたが、ちょっとした間違いと不注意によって、遺伝子の構造解明の名誉を逃した。

風邪の予防にビタミンＣが効くという話は、だれもが聞いたことがあるだろう。その話の出所はポーリングだ。そのことの是非はともかく、晩年に近づいた彼は、風邪に限らず、およそあらゆる病気にビタミンＣが効くという理論にこりかたまり、かつての同僚たちを狼狽《ろうばい》させた。自分の理論に非常に固執するのは、彼のすべての研究に表れた態度であった。

反戦思想を強く持ち続け、いろいろな政治的あつれきにも屈せず平和運動を続けた。それで、ノーベル化学賞とともにノーベル平和賞も受賞した。

化学理論における貢献はさておき、このような人物の伝記を読んで、私たちは何を学ぶだろうか？　読みながら、私は、もう一人の今世紀のアメリカの偉大なノーベル賞物理学者であったリチャード・ファインマンの一生と比較せずにいられなかった。

両者ともに早くから抜群の才能を示し、苦労して大学にいき、大学院時代から優秀な研究を発表した。時代の政治の波に巻き込まれつつも、自分の信念にしたがって行動した。純情で、直截《ちょくせつ》で、攻撃的で、それがなんであるかはともかく、信じるもののある人物。ポーリングは、ファインマンのようにおもしろくも華々しくもないが、彼もやはり、まぎれもない「アメリカ」の科学者であり、本書を読むと、アメリカという国の科学の風土が実感されるのである。

Q86

天才画家は世界をどう見ていたのか？

中野孝次『ヒエロニムス・ボス「悦楽の園」を追われて』を読む

いとも悲しげで深い諦《あきら》めの表情をたたえた男の顔が画面左側を眺めている。男の胴体とおぼしきものは壊れかけた卵の殻で、中は酒場だ。男の脚は枯れ木で、その先は舟の靴をはいて暗い水に浮かんでいる。そこから卵の殻にはしごをかけて、お尻《しり》に矢をはやした男が上がってくる。などと書いても、なんのことやらさっぱりわからないに違いない。しかし、この図像を一目でも見た人ならばだれでも、これは一生忘れられない図柄の一つとなるだろう。それがボスの絵なのだ。

ヒエロニムス・ボスは、不可解で奇妙でエキセントリックで、時代にかかわらず人間の常識というものを超えている。それが一四〇〇年代に生まれた人と聞くと、そのシュールなイメージは、まさに破格である。

本書の著者は、そもそもブリューゲルにひかれて調べるうちに、その先達であったボスの絵とたびたび邂逅《かいこう》することになった。そして、この不可解な絵は何を描きたくて描いたものなのか、こんな絵を描いたボスという人間は、世界をどう見ていた人間なのかという疑問を、ひたすらボスの絵と向き合うことにより解明しようとしたのである。

本書はボスの大掛かりな研究書ではなく、網羅的に紹介したものでもなく、著者とボスの絵との長い対話から生まれたような、たいへんに魅力的なボス分析である。邪悪な人間の顔でいっぱいの画面、突拍子もない怪物の数々。わからない、ヘンな絵だと思いつつ、細部にわたるまで観察し、自問し、考える。同じキリストを題材にする伝統的な絵でも、なぜボスはこんな風に描くのか、世界や人間がこんな風に見えたボスとは、どんな性格の人だったのか、これらの問いに、著者自身の人生の思いが重なって随想がふくらんでいく。

プラド美術館にある「悦楽の園」は、放らつな裸体の饗宴《きょうえん》を描きながらなぜ少しもエロチックな感じがしないのかについてと、冒頭にあげた卵－枯れ木男の顔と「放蕩息子」の顔が、ボスの心情の自画像ではないかという著者の考察には深く納得し、読後、いつまでも心に残っている。

Q87 偉人とは何か？

デイヴィッド・トレイル『シュリーマン』を読む

英雄の虚像を暴くというのは、趣味が悪いとしても絶対におもしろい。それが単なる暴露、中傷というのでなければなおさらだ。

私たちはなんと長い間、このシュリーマンという人物にだまされていたことだろうか。彼の著作である『古代への情熱』は、知識人が読むべき代表的古典の一つとさえみなされている。シュリーマンの伝記や自伝を読んで考古学にあこがれた人は、世界中に何万人といるに違いない。子どものころに読んだホメロスのトロイ戦争の記述に感激し、これは史実に違いないと信じて、大きくなったらトロイを発掘するのだという夢を抱いて財を築き、とうとうその夢を果たした、というのはあまりにも有名な立身出世譚《たん》の一つである。

ところが、これはみんなうそだったのだ。本書の中で、著者は克明にシュリーマンの日記、自伝、往復書簡などの資料を追い、彼のうそを一つ一つ明らかにしていく。子どものころからトロイを発掘しようという夢などみじんも持っていなかったこと、中年になって金持ちにはなったけれど、結婚生活にいきづまって新たなアイデンティティーの確立を求めていたときに偶然出会ったのが古代ギリシャであること、ヒッサルリクの丘こそがトロイの本当の地であるというのは、彼の独自の見解などではまったくないこと、日記の記述ですらも改ざんしていたことなど、まあ、出るわ出るわ、あっけにとられるとしか言いようがない。

しかし、そうして最後に浮かび上がってくるのは、さまざまなコンプレックスや確執をかかえた、複雑な一人の人物である。学歴はないがアカデミズムにあこがれ、発掘の基本も十何カ国語をも独学で身につける才能のある人物、目的のためには労力をおしまない努力家、そして、結婚においても商売においても研究においても、ちょっと山師的なところのある、自己顕示欲の強い男。偉人とは何だろうか？　ここには、歴史に名を残す偉業を成し遂げる人物の原動力、偉大さ、ゆがみのすべてが現れている。

VI

現代社会・哲学をめぐるQ

Q88

女性の地位が向上すると人口が減るのか？

ダリル・ブリッカー＋ジョン・イビットソン『2050年 世界人口大減少』を読む

世界の人口は、現在およそ七六億人。国連の推計では、今世紀いっぱい増え続けて一一〇億人ほどになり、二一〇〇年代になって初めて横ばいになるという。著者らはそれを真っ向から否定する。今の人口動態を見てみると、二〇五〇年ごろには世界人口は減り始め、そのときの人口はせいぜい九〇億人ぐらいではないか、と言うのだ。

これまで各国、地域、諸文化のさまざまな集団において、何が起こってきたかを見てみよう。都市化が起こり、女子教育が普及し、女性の地位が向上すると、必ずや一人の女性が産む子どもの数は減った。今や世界中がその傾向にあるので、チリでも、タイでも、ナイジェリアでも出生率は低下している。

なぜそうなるのか？　都市生活では、第一次産業が主ではないので、子どもがいても家庭の労働力の足しにはならない。それどころか、子どもは金がかかって負債となる。女性の地位が上がれば、女性が自分を向上させることに資源をつぎ込み、男性の言いなりにはならない人生を送ろうとする。そうなると、確実に子どもの数は減るのだ。

本書は、さまざまなデータから理論的予測を導いているが、それだけではない。本書のすごいところは、ケニアやブラジルのスラムに住んでいる女性たち、いまだに男尊女卑の激しいインドの女性たち、そして、ヨーロッパなど先進国のカップルなどにインタビューを行っていることだ。この先、彼女らはどのような人生を選択するか？　それを考えれば、遅かれ早かれ人口は確実に減る。そこで移民の受け入れが最重要になるのだが、移民の供給側でも人口は減る。

女性の地位が向上するのは望ましい。人口が減れば地球環境への悪影響は抑えられる。でも、子どもがいないのは寂しい。人類という生物が今後どのような存在になるのか、中長期的に大変に重い課題となることを考えさせられる。

Q89 なぜ日本の科学技術力は落ちているのか？

豊田長康『科学立国の危機』を読む

日本は資源に恵まれず、島国で山も多い。しかし、古来より刻苦《こっく》勉励《べんれい》をよしとし、近代国家として経済発展を成し遂げてきた。明治以降は、科学が果たした役割が大きい。

しかし、今はどうか？　経済は伸び悩み、少子高齢化が進む。国立大学法人の運営費交付金は徐々に減り、研究者の数は増えない。研究者をめざす若者は減っている。論文の生産数も減り、大学ランキングも下がり気味。日本の科学技術力は明らかに落ちている。このことは、だれもが持っている共通認識だろう。それではどうしよう？　ここで起死回生をはかるには、どんな政策をとるべきか。それを考えるには、実情のリサーチをしなければならない。

本書は大変な労作だ。多くの国際的なデータと統計を駆使して、どんな要因が科学の研究力を上げることにつながるのかを詳細に分析している。二〇〇枚以上の図表がぎっしりつまった分析は圧巻。まずは、そこに敬意を表したい。一国の科学技術の状況を正確に把握するには、これだけの細かな分析が必要なのだ。自分の言説に都合の良い一、二枚の図を持ってくればすむ話ではない。

分析の果てに見えてくるのは、過度の「選択と集中」は間違いだということだ。人を育てるのが本当に大事だということ。研究業績をあげてGDPの成長に結びつけていくためには、研究者の数を増やし、さまざまな所に活躍の場を増やしていくことが重要なのだ。

日本は人件費削減で、研究者の数を増やしてこなかった。そして、大企業や一部の国立大学に資金が集中し、広がりがなさ過ぎる。

最後の第六章では、大量の分析を総合し、何をすればよいか、してはいけないかが提言される。最近流行の数値目標も、どんな意味と根拠があるのか、説明がていねい。政策を決めるには、せめてこれくらいの分析をもとにして論じあって欲しいと思わせる一冊だ。

Q90 アメリカ大統領は精神鑑定を受けるべきか？

バンディ・リー編『ドナルド・トランプの危険な兆候』を読む
メアリー・トランプ『世界で最も危険な男』を読む
ジョン・ボルトン『ジョン・ボルトン回顧録』を読む

ドナルド・トランプとはどんな人物か？　精神科医が、テレビなどに映った映像だけからその人の人格や精神状態を推測することは禁じられている。

でも、彼は本当にアメリカ大統領という職を任すにふさわしい人物か？　就任以来、彼が示した行動（何人のスタッフが交代したことか）、インタビューやツイッターでの発言、テレビの記者会見の映像など、彼の性格を示す材料は山ほどある。それらを精神科医が精査して分析すれば、何か提言できるのではないか？

『ドナルド・トランプの危険な兆候』は、トランプ氏のこれまでの言動に危機感をいだいた精神科医たちが、本人との面談なしには診断しないという慣例をあえて破り、彼は核のボタンを握る大統領として不適格であると公言した書物である。彼を大統領に選ぶ人たちもいれば、こういう書物も出るのがアメリカ。どの国の大統領も首相も精神鑑定を受けるべき、という提案でもある。これ、とばっちり？

＊

今思えば、バンディ・リー編の著作は、単なる始まりに過ぎなかった。精神科医たちが、ドナルド・トランプがアメリカ大統領として仕事をするのは危険だと、いわば、恐る恐る提言したのが本書だ。それ以後、本当にそうだと断固主張する書物が次々に出されている。姪のメアリー・トランプによる家族史からの告発の書である『世界で最も危険な男』。そして、元側近のジョン・ボルトンからの告発の書である『ジョン・ボルトン回顧録――トランプ大統領との453日』だ。ともに、こういう人間は大統領には全く相応しくない、と断じている。読めば読むほど、ひどいということはわかる。

トランプをよく知る人々からこのような告発がなされる一方で、トランプ氏の人気とは何なのだろう？　私は、トランプを支持する人々の感情が理解できないが、そのこと自体が、世の中の分断をよく表している。

二〇二〇年は、アメリカ大統領選挙の年だ。これらの書物の出版に加えて、本人が、あれほど軽んじていた新型コロナウイルスに感染したこともあり、選挙がどうなるのか、興味津々で見守っている。本当は、興味津々などというレベルではなくて、深刻な問題なのだが。

Q91

日本にヒラリーはいるか？

ヒラリー・ロダム・クリントン『何が起きたのか？』を読む

ヒラリー・クリントンは、二〇一六年一一月に女性候補としてアメリカ大統領選を戦い、ついにガラスの天井を壊すかと思いきや、共和党のトランプに負けた。あの選挙には、私もずいぶん興奮した。

本書は、そのヒラリーによる、この前の大統領選の回顧である。彼女の信条形成の過程を振り返り、彼女が何を実現したいと思っているのかが表明される。なぜ勝てなかったのかの自己分析でもある。政治家が自分のことを書くのだから、書かれた通りだとは思わない。メディアが作る虚像あり、ロシアの介入疑惑あり。しかし、本書は、彼女の気持ちが非常に正直に明快に表現されていて爽快だ。

女性はもっと自分を信じ、世界を変えるためにトップをめざすべきだと、これほど情熱と自信をもって主張し、実践できる有能な女性は日本に何人いるだろうか？　女性の社会参加で圧倒的に後れをとる日本に元気を注入してくれる。

Q92

女性と男性はどう違うのか？

スーザン・ピンカー『なぜ女は昇進を拒むのか』を読む

題名は挑発的だが、本書は「トンデモ本」ではない。著者の主張の本筋は、男と女は異なる存在であり、幸せの感じ方も、人生に望むものも異なる、ということだ。本書にまとめられた調査結果は、信頼のおける確かなものである。

著者は、発達障害の子どもたちを治療する仕事を何十年と続けるなかで、男の子と女の子の障害のあり方に顕著な違いがあることに気づいた。本書は、そこを出発点にして、自分自身キャリアウーマンである著者が、男女平等を求める現状に疑問を呈するものである。

発達障害の子どもたちだけでなく、著者が接してきた多くの人々の人生、彼ら自身が語る「自分観」が、まずは男と女の違いを雄弁に語る。さらに、社会的には明らかな性差別がなくなり、実際に自分が差別を受けているとは感じていない、欧米のキャリアウーマンたちの人生観、職業観のインタビューが、門戸をまったく平等に開いても、男性と女性が求めるものは異なるということを如実に示す。最後に、最近の欧米で行われたあまたの社会調査が、才能があっても、機会を与えられても、女性は男性と同じ人生の選択をしないことを、説得力をもって示している。

女性が差別され、男性より劣った存在とみなされ、女性自身の意志が実現できなかった時代、女性の地位向上運動は重要な役割を果たした。しかし、男女平等の思想の根底に、男と女は本質的に同じ存在で、自由であればまったく同じ選択をするはずだ、という信念があるとすれば、それは明らかに間違っている。男こそが人間の典型で、女は抑圧されてきたから男になれなかった、という議論は、それは違う。そんな信念で社会を設計すると、結局はだれもが不幸になる。著者の主張の骨子はそこにある。

私も同感だ。が、今の時点で「男と女は違う」と不用意に主張すると、すぐにも、だから元通りの差別に戻せという保守反動が勢いづく。しかし、ていねいな議論をすれば、そんなことにはならない。本書には、そのようなていねいな議論が展開されていると私は思うのだが、やはりフェミニストは嫌うのだろうか？

Q93

日本にとっての生命倫理とは？

米本昌平『バイオポリティクス』を読む

読後、歴代首相の靖国参拝のことが思い浮かんだ。生命倫理とこれらのニュースの関連は薄いと思われるかもしれないが、私にとって、実に密着したものとして浮かび上がってきた。

本書は、ゲノム解読から、クローン技術、着床前診断、そして臓器移植まで、いのちの医学的、科学的研究にかかわる困難な問題を取り上げて詳細に論じた、中身の濃い著作である。たいへんおもしろく、議論の先を知りたくて一気に読んでしまった。これらの諸問題について、公正な考察を目の前に並べて見せて欲しいとかねがね思っていた人たちにとっては、最良の手軽な教科書と言えるだろう。

本書を読むと、先に述べたようないのちをめぐる諸問題が、これまで各国でどのように論じられてきたか、日本ではどうか、ということが、空から地上を見下ろすようによくわかる。そこで見えてくるものは、いのちにかかわる最先端の問題が、もはや生命倫理という旧来の枠ではとらえられないものに変容した「政治」であること、そこには各国の文化的風土が深く関与していることである。

従来の生命倫理は、ことごとく西欧哲学とキリスト教の発想から考察されてきた。その流れから見れば、「日本は遅れている」ということになるのだろうが、本書の多角的な検討からは、そんな単純なものではないことが見えてくる。日本は日本の生命観を反映した形で、独自のものを打ち立てればよいのである。

そこで、冒頭の靖国参拝につながる。この問題への対応も、生命科学と医療の最先端が提示する問題に対する日本側の対応も、どうも、思考の強靭《きょうじん》さに欠けるのである。なにも、他国や他文化と同じ土俵で論じることはない。しかし、違うものなら違うものとして、真摯《しんし》に説得するための強さと誠実さが必要である。生命先端技術に対する、これまでの日本の法整備や議論のあり方には、それが不足している。本書は、こうして各国の議論を俯瞰《ふかん》することにより、日本の風土の一面を浮き彫りにしている。多くの人々に考えて欲しい。

Q94

脳死は人の死なのか？

森岡正博『生命学に何ができるか』を読む

いのちをめぐる問題は難しい。人は生まれ、生き、そして死ぬ。これは、過去につねに繰り返されてきたことであり、本来、難しくはないはずなのだが、最近の生命科学の進歩による医療技術の数々に、今の私たちの生命観はついていけなくなりつつある。

本書は、脳死、中絶、遺伝子診断の問題を取り上げ、現在、私たちは何をしているのか、何をするのがよいことなのか、その倫理的基盤を問い詰めていく。これは生命倫理の書であるが、著者の意図は、従来のような生命倫理学の精密化にあるのではない。著者は、それらをふまえたのちに、まったく新しい「生命学」と呼ぶものの構築を提唱している。

著者は、脳死は人の死ではないと結論し、体温を持ち呼吸しているからだに「死」を感じることのできない私たちの感覚を大切にするべきだと言う。

中絶の問題については、一九七〇年代のウーマン・リブの思想の歴史を振り返ることから始まり、そもそも中絶という事態が生じるもととなる、男のセクシュアリティを問い直さなければならないというところに行き着く。

最後の遺伝子診断の問題は、障害があるとわかった胎児を中絶したいと思う、私たちの内なる優生思想とどう闘うか、先の中絶一般に関する話を、とくに障害者問題と関連させて深く検討している。

著者の視点はこれらの諸問題について、なるべく論理的に矛盾なく、しかも個人の選択の自由をはばむことがないように結論を出しながら、私たちのだれもが心の底に持っているエゴイズムをごまかさずに見据え、内なる悪から目をそらさずに生きようというものだ。

そして最後に、自然科学ではなく、従来の生命倫理学でもなく、私たち一人一人がどのように生きていくかを考える「生命学」というアプローチを提唱している。しかし、「生命学」とはいったい何だろうか？　それは、さまざまな経験を積み、いろいろなことに思いめぐらせたあとで達する「さとり」のようなものかもしれない。いのちをどう捉えるかには、本来、論理や言語で語り尽くせないものがつきまとうのだろう。

Q95

法律は生殖医療に追いつけるのか?

ローリー・B・アンドルーズ『ヒト・クローン無法地帯』を読む

二一世紀は、どんな世の中になるのだろう? 医療、遺伝子技術が進み、生命の発生の細部についてますます人間が手を下せるようになるという傾向は、おそらく、しばらくは止まらないだろう。体外受精、精子や卵子の提供、代理母、卵子の冷凍保存、使わなかった卵子の処理、遺伝子診断、クローンの誕生。これらは、人類がいまだ経験したことのない事態である。

本書は、科学と法廷ものを合わせたたいへんおもしろい本だ。体外受精の精子提供者を決めるのは、普通は医師である。親はどんな精子提供者がよいか希望を言う。ところが、医師がこっそり自分の精子を使ってしまう。しかし、体外受精に医師が自分の精子を使ってはいけないという法律はない。一方、親は「自分と似た子どもを選択する権利」というのがあると主張する。生殖医療技術の発展から生じる問題の数々は奇想天外でもあり、詭弁《きべん》的とも言える攻防の論理にはおかしみすらあるが、実は笑い事ではない、深刻な事態である。

子どもを持ちたい、できれば健康で「よい子」を持ちたいという執着はわからなくもない。しかし、あらゆる手段をつくしてそれを追求しようとすると、思いもよらなかったことが生じる。著者は、それらの問題に対処してきたベテランの法律家であり、科学、医学の乱用を危惧《きぐ》しながらも、できるだけ当事者の願いを実現し、権利を守ろうとしてきた。生殖医療が日本よりもずっと派手に進んでいるアメリカで、法律がびっくりしてやっとのことであとを追いかけている様子がよくわかる。生殖医療がもうかると見るや、「デザイナーブランドの赤ちゃん売ります」式の商売が成立する。医師、患者、提供者、仲介者などの利害が対立する。いったい、人間とは何なのだろう？

なんでもかんでも訴訟に持ち込むアメリカの風土は、日本とは異なる。キリスト教の生命観も日本のそれとは異なる。それにしても、日本でももっとこの問題を議論するべきである。議論なしで静かに事態が進行しているとすると、それは恐ろしいことではないか。

Q96

ポストモダン哲学の欺瞞とは？

アラン・ソーカル＋ジャン・ブリクモン『「知」の欺瞞』を読む

実に痛快な一撃の書である。しかし、そう思わない人々には、こんな嫌な本はないだろう。それは、かねての理系と人文系の「二つの文化」の対立のカリカチュアのようだが、実は真剣な警告の書である。

ポストモダン哲学は、今や大流行である。彼らは、いったい何を言っているのか？　ニューヨーク大学の物理学者であるアラン・ソーカルは、一九九七年に、ポストモダン哲学者の書いたものを継ぎはぎして実質的にはナンセンスな「論文もどき」を作り、それを「ソーシャル・テクスト」というファッショナブルな哲学雑誌に投稿した。それは、大喝采《かっさい》で掲載されたが、ソーカルは、すぐにそれが「にせ論文」であることを暴露した。こうして、ポストモダン哲学が、知的にまったく無意味な活動であるとからかったのである。「サイエンス・ウォーズ」の始まりである。

ラカンも、デリダも、ラトゥールも、ポストモダンの代表だ。彼らは、科学の概念を自分たちの考えを飾る装飾として、科学上の意味抜きにひんぱんに使う。しかし、私には、読んでもどれも理解できない。また、科学もただの解釈の一つに過ぎないので、真実としてとくに価値はないと言う。本当にそうだろうか？

本書は、ソーカルらがポストモダン哲学の主張を、とことん科学者の精密さをもって分析したものだ。知らない人は、こんなことに精魂傾けるなんてくだらないと思うかもしれない。しかし、世はあげて、ポストモダン思想なのだ。それに対抗してちょっと待てと言い、「なんでもあり」思想に歯止めをかける、科学者側からの著書が一つは欲しい。それが本書である。

私は、一九九八年にロンドン大学で行われた、ソーカルとラトゥールの討論に出席した。ソーカルは、ラトゥールを対話に引き込もうとしたが、結局は逃げられてしまった。事実とは、客観性とは何か、それは単純ではない。しかし、なんでも一つの見方に過ぎないと言ってしまえば、互いに学ぶものはなくなってしまう。そうならずに知的活動を続けるには何が必要か、原点から考え直すための書である。

Q97

アメリカ人は原爆をどう思っているのか？

アラン・M・ウィンクラー『アメリカ人の核意識』を読む

原爆投下五〇年に当たる一九九五年に、アメリカのスミソニアン博物館が原爆展を企画したことを覚えておられるだろうか？　原爆投下の意思決定に関して、広い視野で解説をしようとした博物館側と、原爆投下はアメリカ兵の命を救うために必要だったのであり、善であったとする旧軍人側とが鋭く対立し、結局、展示は取りやめとなった。

あの事件は、核兵器をめぐる国民の意識に関して、アメリカと日本では、いまだに埋めがたいギャップがあることを思い知らせるものであった。同じ年、私は、マンハッタン計画に関与した物理学者の一人が、当時を振り返って書いたエッセイを、ある科学雑誌で読んだが、その文章の根底に流れている、反省のなさ、思いやりのなさにがく然としたものだ。

核兵器は原爆後もどんどん開発され続け、冷戦構造の中で、大国による核実験が数え切れないほど繰り返された。日本人の核兵器に対する思いの原点は広島と長崎であり、その非人間性をまず思い浮かべる。原爆を開発して使用し、冷戦と軍拡競争の最大当事国であったアメリカでは、核兵器に関する一般世論はどのように形成されたか、本書はその歴史をたどるものだ。

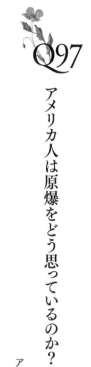

原爆投下直後に、その成果はバラ色に伝えられた。核実験に伴う残留放射能に関しては、不確かな情報のもとで不安が増大する。冷戦の恐怖のもとでは、荒唐無稽《こうとうむけい》な民間防衛法が考案された。レーガンのスター・ウォーズ計画には、ついにだれもがあきれる。これらの問題の探究から浮かび上がってくるアメリカ人の核意識に、多くの日本人は驚き、違和感を覚えるだろう。

本書は、アメリカの科学者たちが核兵器問題にどのように加担し、また警告してきたか、そして、作家や歌手などが作品を通してどのように世論を導いてきたかを詳細に分析している。もちろん、単純に善玉と悪玉がいるのではない。大統領、役人、科学者、詩人、それぞれの人々が何を判断基準として動いたか、それを知ることにより、日米のギャップの理由をよりよく理解する一助となるだろう。

Q98

なぜ若者の「勉強離れ」が進むのか？

岡部恒治＋戸瀬信之＋西村和雄編『分数ができない大学生』を読む
新井紀子『AI vs. 教科書が読めない子どもたち』を読む

数年前から、何かおかしいと感じていた。授業で黒板にグラフを書いてもポカンとしている、自然対数がわからない、相関係数が理解できない。ところが、話はそんな「高級な」ことではなかったのだ。日本の生徒の数学の能力は国際比較で一番などというのは、イギリスが「ゆりかごから墓場まで」の福祉国家というのと同様、もうすっかり過去のことなのである。

『分数ができない大学生』を読むと、大学生の数学の学力低下の一般的な惨状がよくわかる。「8分の7引く5分の2」という小学校の分数計算すらできない大学生が、学科によっては二割以上にもなるのが現状である。それもそのはず、いまや日本は、学校での数学の授業時間数は先進国中で最低、数学を必要としない大学入試がたくさんあるという、希有《けう》な国なのだ。

なぜこんなことになってしまったのか？　本書は、小・中・高での教育や大学入試制度からその原因を探る。執筆者たちは、また、数学は世間に出てから役に立たないという迷信を打ち破るべく、数学は論理の訓練であり、論理的なものの考え方が、どんな職場でもどれほど重要であるかについても力説している。

実際、執筆者たちも述べているように、理科離れと言われている現象とともに、根本的には、これは「勉強離れ」「考えること離れ」である。私たちは、なににつけ、じっくり考えることをしない人間をつくってきたのだ。本を読まない、語彙《ごい》が極端に少ない、論理的な文章が書けない、努力しないですぐにあきらめる、ものごとを感情だけで決める、などなど。

しかし、学生たちは教育政策と大学入試制度の犠牲者である。「ゆとりの教育」という名のもとに、教科内容を薄める、勉強を受験対策と取り違えた教育をする、大学入試を少数科目化することによって受験生の人気取りをする、学生のニーズにこたえるという美名のもとに、原理原則のないカリキュラムを作る。これらのことが原因となって、分数もできない大学生をつくってしまったのだ。これが続けば確実に日本の社会は衰える。事態の復旧は困難である。

＊

一九九九年に出版された本書は、衝撃的であったが、あれからほぼ二〇年たった二〇一八年、新井紀子氏による『ＡＩ vs. 教科書が読めない子どもたち』が出版された。これは、ＡＩロボットが東大入試に合格するか、という「東ロボプロジェクト」を主催していた情報学の研究者による、これまた衝撃的な著作である。

著者の新井氏は、ＡＩの研究者で、そもそも文章全体の「意味」などというもののわからないＡＩがどうやって東大入試を突破できるかを考えているうちに、では、今の子どもたちはＡＩとは違って本当に意味を理解して勉強しているのかどうかを確かめようと考えた。その結果は、「とてもわかっているとは言えない」ということだったのだ。

情報機器が発達するほどに、人間個人が一人一人知力を駆使せねばならない状況は減少している。つまり、情報技術の発達というのは、私たちヒトの知力のさまざまな側面をアウトソーシングしているのである。記憶はメモリー・デバイスに、情報を探すことは検索アプリに、人間関係作りはさまざまなソーシャルメディアに、というふうに。その挙句に、ものを総合的に考えられなくなった人間とはどういう存在になるのか、この技術文明の行く末を考えさせられる。

Q99

たばこをめぐる利害対立とは？

伊佐山芳郎『現代たばこ戦争』を読む

本書は強力な反たばこキャンペーンの書である。たばこが嫌いな私には非常にうれしい本だ。欧米に比べると日本はたいへんなたばこ天国である。第一、自動販売機によって小学生でも買うことができる。本国では出すことのできないアメリカたばこの宣伝ポスターが、日本では街中にあふれている。ある調査によれば、中学一年生男子の喫煙経験者は、全体の二九・九％にものぼっている。

たばこについて考えなければならないことはいくつもある。一つは、もちろん、喫煙者にとっての有害性である。これは、もはや疑いようがない。次に、受動喫煙の有害性である。これも、すでに十分確立された。では、どんなよいことがあるのか？　ところが、たばこには麻薬と指定されている薬物と同程度の習慣性があるので、たばこのよさをあげる人たちは、すでにとりこになっていて客観的な判断ができない。

次に考えるべきなのは、国の政策としてはどうするべきかということだ。日本政府はいったいどう考えているのだろう？　著者は、たばこの有害性と、それをめぐる政策決定に関して豊富なデータをあげながら警告を発している。日本では、確かに、たばこに関する十分な情報が国民一般に伝わっていない。一方、たばこ会社、とくにアメリカの大手会社は、本国での将来性のなさを見越して、アジアと女性と少年にターゲットを絞って販売攻勢をかけている。巨額な研究費と広告費をかけて、一生とりこになった顧客をつくろうとしているのだ。

読み進むと、たばこの問題が、環境問題と構造的に似ていることがわかる。科学はたばこの有害性を明らかにした。しかし、企業その他、人々のあいだに大きな利害の対立がある。政策決定は、それらの利害に左右され、最終的には、個人の欲望の制御にかかっている。これを、たばこが好きか嫌いかの趣味や立場の問題だととらえるのは間違いだ。環境問題と同様、将来の世代に何を伝えるのか、国連や世界各国が取り組んでいる問題なのである。

Q100

現代の社会で自然とは何か？

マイケル・ライス＋ロジャー・ストローハン『生物改造時代がくる』を読む

「自然な」こととはいったい何なのだろう？　そもそも、都市に住んでエアコンを使い、病気になれば抗生物質を飲んでなおし、飛行機でどこかにバカンスにでかける生活が自然なわけはない。

　私たちが毎日買わされて食べている食品の多くも、もうずいぶん「自然」からかけ離れてしまっている。化学肥料や農薬を使わない野菜などが「自然食品」として売り出されるようになったのは、もう昔のこと。現代の「非自然食品」の主役は、遺伝子組み換えされた野菜やホルモン投与の家畜、人工授精に頼らねばならないように人工的に作り変えられた、もう絶対に自らの繁殖行動で繁殖することはできないシチメンチョウなどのバイオテクノロジー食品である。

　本書は、このような遺伝子組み換え食品や、医薬品開発などのための遺伝子操作では本当に何が行われているのかを概観し、その是非を、安全面、倫理面、経済面などから多角的に検討したものである。たいへんにおもしろく、そして深い考察がされている。語り口は軽妙で、滑《こっ》稽《けい》でツボをおさえた漫画の挿絵とともに、だれもが議論についつい引き込まれてしまうだろう。

　遺伝子組み換え食品については、日本ではあまり議論が活発でないように思える。しかし、この問題は、単に安全性の問題だけではない。人工的な生殖医療や臓器移植の問題と根は同じで、人間の生命と他の生命との関係をどうとらえるかの話なのだ。それゆえ、宗教の話もたくさん出てくるが、決して押しつけがましい議論でないところがよい。「ライスとストローハンの結論」という項目で著者らの意見がまとめてある。

　以前、授業の一環で学生といっしょにツバメの観察をしたが、多くの駅では、ツバメの営巣を嫌って巣をこわしていた。毎夏日本にやってくる鳥の存在さえも許容できない現代人は、バイオテクノロジーでできたトマトを食べながら、「自然に帰る」ことを夢見ているのだろうか？　自分たちのご都合主義と自己矛盾に気づき、科学と文明と人間の欲望について内省するために、ぜひおすすめしたい一冊である。

文献一覧

Q1　ジョン・ブロックマン編『ディープ・シンキング――知のトップランナー25人が語るＡＩと人類の未来』日暮雅通訳、青土社、二〇二〇年／菅付雅信『動物と機械から離れて――ＡＩが変える世界と人間の未来』新潮社、二〇一九年
Q2　アダム・オルター『僕らはそれに抵抗できない――「依存症ビジネス」のつくられかた』上原裕美子訳、ダイヤモンド社、二〇一九年
Q3　バイロン・リース『人類の歴史とＡＩの未来』古谷美央訳、ディスカヴァー・トゥエンティワン、二〇一九年
Q4　キャシー・オニール『あなたを支配し、社会を破壊する、ＡＩ・ビッグデータの罠』久保尚子訳、インターシフト、二〇一八年
Q5　ロビン・ハンソン『全脳エミュレーションの時代――人工超知能ＥＭが支配する世界の全貌（上・下）』小坂恵理訳、ＮＴＴ出版、二〇一八年
Q6　テッド・チャン『息吹』大森望訳、早川書房、二〇一九年／テッド・チャン『あなたの人生の物語』浅倉久志ほか訳、ハヤカワ文庫、二〇〇三年
Q7　ジェイムス・スーズマン『「本当の豊かさ」はブッシュマンが知っている』佐々木知子訳、ＮＨＫ出版、二〇一九年／エリザベス・Ｍ・トーマス『ハームレス・ピープル――原始に生きるブッシュマン』荒井喬＋辻井忠男訳、海鳴社、一九七七年（普及版、一九八二年）
Q8　ジェラルディン・マコックラン『世界のはての少年』杉田七重訳、東京創元社、二〇一九年
Q9　ネイサン・レンツ『人体、なんでそうなった？――余分な骨、使えない遺伝子、あえて危険を冒す脳』久保

美代子訳、化学同人、二〇一九年
Q10　ジョセフ・ヘンリック『文化がヒトを進化させた――人類の繁栄と〈文化-遺伝子革命〉』今西康子訳、白揚社、二〇一九年
Q11　松島泰勝＋木村朗編『大学による盗骨――研究利用され続ける琉球人・アイヌ遺骨』耕文社、二〇一九年
Q12　ヴァイバー・クリガン＝リード『サピエンス異変――新たな時代「人新世」の衝撃』水谷淳＋鍛原多惠子訳、飛鳥新社、二〇一八年
Q13　ユヴァル・ノア・ハラリ『ホモ・デウス――テクノロジーとサピエンスの未来（上・下）』柴田裕之訳、河出書房新社、二〇一八年
Q14　呉勝浩『マトリョーシカ・ブラッド』徳間書店、二〇一八年
Q15　スティーブン・スローマン＋フィリップ・ファーンバック『知ってるつもり――無知の科学』土方奈美訳、早川書房、二〇一八年
Q16　クリストフ・ボヌイユ＋ジャン＝バティスト・フレソズ『人新世とは何か――「地球と人類の時代」の思想史』野坂しおり訳、青土社、二〇一八年／安成哲三『地球気候学――システムとしての気候の変動・変化・進化』東京大学出版会、二〇一八年
Q17　リチャード・ランガム『火の賜物――ヒトは料理で進化した』依田卓巳訳、NTT出版、二〇一〇年
Q18　スティーヴン・オッペンハイマー『人類の足跡10万年全史』仲村明子訳、草思社、二〇〇七年
Q19　ジュリアン・ジェインズ『神々の沈黙――意識の誕生と文明の興亡』柴田裕之訳、紀伊國屋書店、二〇〇五年
Q20　グレゴリー・ストック『それでもヒトは人体を改変する――遺伝子工学の最前線から』垂水雄二訳、早川書房、二〇〇三年／青野由利『ゲノム編集の光と闇――人類の未来に何をもたらすか』ちくま新書、二〇一九年
Q21　アリス・ウェクスラー『ウェクスラー家の選択――遺伝子診断と向きあった家族』武藤香織＋額賀淑郎訳、新潮社、二〇〇三年
Q22　イヴ・コパン『ルーシーの膝――人類進化のシナリオ』馬場悠男＋奈良貴史訳、紀伊國屋書店、二〇〇二年

Q23　エレイン・モーガン『女の由来――もう一つの人類進化論』望月弘子訳、どうぶつ社、一九九七年
Q24　スーザン・ブラックモア『ミーム・マシーンとしての私（上・下）』垂水雄二訳、草思社、二〇〇〇年
Q25　ロジャー・メイソン『顕示的消費の経済学』鈴木信雄＋高哲男＋橋本努訳、名古屋大学出版会、二〇〇〇年
Q26　ジャレド・ダイアモンド『銃・病原菌・鉄――一万三〇〇〇年にわたる人類史の謎（上・下）』倉骨彰訳、草思社、二〇〇〇年（草思社文庫、二〇一二年）
Q27　マット・リドレー『徳の起源――他人をおもいやる遺伝子』古川奈々子訳、翔泳社、二〇〇〇年
Q28　A・R・ダマシオ『生存する脳――心と脳と身体の神秘』田中三彦訳、講談社、二〇〇〇年（『デカルトの誤り――情動、理性、人間の脳』ちくま学芸文庫、二〇一〇年）
Q29　V・S・ラマチャンドラン＋サンドラ・ブレイクスリー『脳のなかの幽霊』山下篤子訳、角川書店、一九九九年（角川文庫、二〇一一年）／オリバー・サックス『妻を帽子とまちがえた男』高見幸郎＋金沢泰子訳、晶文社、一九九二年（ハヤカワ文庫、二〇〇九年）
Q30　T・W・ディーコン『ヒトはいかにして人となったか――言語と脳の共進化』金子隆芳訳、新曜社、一九九九年
Q31　更科功『若い読者に贈る美しい生物学講義――感動する生命のはなし』ダイヤモンド社、二〇一九年
Q32　萩原浩『楽園の真下』文藝春秋、二〇一九年
Q33　ジョナサン・B・ロソス『生命の歴史は繰り返すのか？――進化の偶然と必然のナゾに実験で挑む』的場知之訳、化学同人、二〇一九年
Q34　ベン・メズリック『マンモスを再生せよ――ハーバード大学遺伝子研究チームの挑戦』上野元美訳、文藝春秋、二〇一八年／須田桃子『合成生物学の衝撃』文藝春秋、二〇一八年
Q35　リチャード・ドーキンス『利己的な遺伝子』日高敏隆ほか訳、紀伊國屋書店、一九九一年（増補新版、二〇〇六年／40周年記念版、二〇一八年）
Q36　シッダールタ・ムカジー『遺伝子――親密なる人類史（上・下）』田中文訳、早川書房、二〇一八年
Q37　ショーン・B・キャロル『セレンゲティ・ルール――生命はいかに調節されるか』高橋洋訳、紀伊國屋書店、

二〇一七年
Q38　ネッサ・キャリー『ジャンクDNA——ヒトゲノムの98%はガラクタなのか?』中山潤一訳、丸善出版、二〇一六年
Q39　オレン・ハーマン『親切な進化生物学者——ジョージ・プライスと利他行動の対価』垂水雄二訳、みすず書房、二〇一一年
Q40　コリン・タッジ『ザ・リンク——ヒトとサルをつなぐ最古の生物の発見』柴田裕之訳、早川書房、二〇〇九年
Q41　マーリーン・ズック『性淘汰——ヒトは動物の性から何を学べるのか』佐藤恵子訳、白揚社、二〇〇八年
Q42　ピーター・D・ウォード『恐竜はなぜ鳥に進化したのか——絶滅も進化も酸素濃度が決めた』垂水雄二訳、文藝春秋、二〇〇八年（文春文庫、二〇一〇年）
Q43　ヘンリー・ニコルズ『ひとりぼっちのジョージ——最後のガラパゴスゾウガメからの伝言』佐藤桂訳、早川書房、二〇〇七年
Q44　山極寿一『ゴリラ』東京大学出版会、二〇〇五年
Q45　ユージン・リンデン『動物たちの不思議な事件簿』羽田節子訳、紀伊國屋書店、二〇〇一年／フランス・ドゥ・ヴァール『動物の賢さがわかるほど人間は賢いのか』柴田裕之訳、紀伊國屋書店、二〇一七年／フランス・ドゥ・ヴァール『ママ、最後の抱擁——わたしたちに動物の情動がわかるのか』柴田裕之訳、紀伊國屋書店、二〇二〇年
Q46　服部ゆう子『ラット一家と暮らしてみたら——ネズミたちの育児風景』岩波書店、二〇〇〇年
Q47　ヒーラット・ヴァーメイ『盲目の科学者——指先でとらえた進化の謎』羽田裕子訳、講談社、二〇〇〇年
Q48　マルティン・アウアー『ファーブルの庭』渡辺広佐訳、日本放送出版協会、二〇〇〇年
Q49　ポール・ケリンガー『鳥の渡りを調べてみたら』丸武志訳、文一総合出版、二〇〇〇年
Q50　スティーヴン・N・オースタッド『老化はなぜ起こるか——コウモリは老化が遅く、クジラはガンになりにくい』吉田利子訳、草思社、一九九九年

Q51　ロバート・S・デソウィッツ『コロンブスが持ち帰った病気――海を越えるウイルス、細菌、寄生虫』古草秀子訳、翔泳社、一九九九年
Q52　ジャック・T・モイヤー『のぞいて見よう海の中――魚の行動ウオッチング』坂井陽一＋大岳知子訳、海游舎、一九九九年
Q53　岩槻邦男『生命系――生物多様性の新しい考え』岩波書店、一九九九年
Q54　アンソニー・スミス『生と死のゲノム、遺伝子の未来』渡辺伸也訳、原書房、一九九九年
Q55　デヴィッド・ジョージ・ゴードン『ゴキブリ大全』松浦俊輔訳、青土社、一九九九年（新装版、二〇一四年）
Q56　マーティン・リース『私たちが、地球に住めなくなる前に――宇宙物理学者から見た人類の未来』塩原通緒訳、作品社、二〇一九年
Q57　デイヴィッド・クリスチャン『オリジン・ストーリー――138億年全史』柴田裕之訳、筑摩書房、二〇一九年
Q58　ジョージ・チャム＋ダニエル・ホワイトソン『僕たちは、宇宙のことぜんぜんわからない――この世で一番おもしろい宇宙入門』水谷淳訳、ダイヤモンド社、二〇一八年
Q59　ジェイムズ・グリック『タイムトラベル――「時間」の歴史を物語る』夏目大訳、柏書房、二〇一八年／カルロ・ロヴェッリ『時間は存在しない』冨永星訳、NHK出版、二〇一九年／ジュリアン・バーバー『なぜ時間は存在しないのか』川崎秀高＋高良富夫訳、青土社、二〇二〇年
Q60　マーカス・チャウン『僕らは星のかけら――原子をつくった魔法の炉を探して』糸川洋訳、無名舎、二〇〇〇年（SB文庫、二〇〇五年）
Q61　サイモン・シン『フェルマーの最終定理――ピュタゴラスに始まり、ワイルズが証明するまで』青木薫訳、新潮社、二〇〇〇年（新潮文庫、二〇〇六年）
Q62　アイリック・ニュート『世界のたね――真理を追いもとめる科学の物語』猪苗代英徳訳、日本放送出版協会、一九九九年（角川文庫、上・下、二〇一六年）
Q63　V・アレクサンドロフ『かくしてモスクワの夜はつくられ、ジャズはトルコにもたらされた』塩原通緒訳、

作品社、二〇一九年
Q64　カール・ホフマン『人喰い――ロックフェラー失踪事件』古屋美登里訳、亜紀書房、二〇一九年
Q65　フェルナンド・バエス『書物の破壊の世界史――シュメールの粘土板からデジタル時代まで』八重樫克彦＋八重樫由貴子訳、紀伊國屋書店、二〇一九年
Q66　リチャード・ドーキンス『魂に息づく科学――ドーキンスの反ポピュリズム宣言』大田直子訳、早川書房、二〇一八年
Q67　シャロン・ワインバーガー『DARPA秘史――世界を変えた「戦争の発明家たち」の光と闇』千葉敏生訳、光文社、二〇一八年
Q68　安田峰俊『八九六四――「天安門事件」は再び起きるか』KADOKAWA、二〇一八年
Q69　アミール・D・アクゼル『神父と頭蓋骨――北京原人を発見した「異端者」と進化論の発展』林大訳、早川書房、二〇一〇年
Q70　リチャード・ドーキンス『悪魔に仕える牧師――なぜ科学は「神」を必要としないのか』垂水雄二訳、早川書房、二〇〇四年
Q71　西村三郎『毛皮と人間の歴史』紀伊國屋書店、二〇〇三年
Q72　ジョイス・ティルディスレイ『イシスの娘――古代エジプトの女たち』細川晶訳、新書館、二〇〇二年
Q73　池上英子『名誉と順応――サムライ精神の歴史社会学』森本醇訳、NTT出版、二〇〇〇年
Q74　スーザン・クイン『マリー・キュリー（1・2）』田中京子訳、みすず書房、一九九九年
Q75　クローディーヌ・セール『晩年のボーヴォワール』門田眞知子訳、藤原書店、一九九九年
Q76　ジュディ・テイラー『ビアトリクス・ポター――描き、語り、田園をいつくしんだ人』吉田新一訳、福音館書店、二〇〇一年
Q77　ジョン・L・ハイルブロン『マックス・プランクの生涯――ドイツ物理学のディレンマ』村岡晋一訳、法政大学出版局、二〇〇〇年
Q78　ポール・ホフマン『放浪の天才数学者エルデシュ』平石律子訳、草思社、二〇〇〇年（草思社文庫、二〇一

一年)
Q79　ジャイルズ・ミルトン『コロンブスをペテンにかけた男――騎士ジョン・マンデヴィルの謎』岸本完司訳、中央公論新社、二〇〇〇年
Q80　ピーター・レイビー『大探検時代の博物学者たち』高田朔訳、河出書房新社、二〇〇〇年
Q81　朝日新聞社『100人の20世紀(上・下)』朝日新聞社、一九九九―二〇〇〇年(朝日文庫、二〇〇一年)
Q82　J・ヘムレブ+L・A・ジョンソン+E・R・サイモンスン『そして謎は残った――伝説の登山家マロリー発見記』海津正彦+高津幸枝訳、文藝春秋、一九九九年/夢枕獏『神々の山嶺(上・下)』集英社、一九九七年(集英社文庫、二〇〇〇年/角川文庫、二〇一四年)
Q83　A・デズモンド+J・ムーア『ダーウィン――世界を変えたナチュラリストの生涯』渡辺政隆訳、工作舎、一九九九年
Q84　マーク・プロトキン『シャーマンの弟子になった民族植物学者の話(上・下)』屋代通子訳、築地書館、一九九九年
Q85　テッド・ゲーツェル+ベン・ゲーツェル『ポーリングの生涯――化学結合・平和運動・ビタミンC』石館康平訳、朝日新聞社、一九九九年
Q86　中野孝次『ヒエロニムス・ボス「悦楽の園」を追われて』小学館、一九九九年
Q87　デイヴィッド・トレイル『シュリーマン――黄金と偽りのトロイ』周藤芳幸+澤田典子+北村陽子訳、青木書店、一九九九年
Q88　ダリル・ブリッカー+ジョン・イビットソン『2050年　世界人口大減少』倉田幸信訳、文藝春秋、二〇二〇年
Q89　豊田長康『科学立国の危機――失速する日本の研究力』東洋経済新報社、二〇一九年
Q90　バンディ・リー編『ドナルド・トランプの危険な兆候――精神科医たちは敢えて告発する』村松太郎訳、岩波書店、二〇一八年/メアリー・トランプ『世界で最も危険な男――「トランプ家の暗部」を姪が告発』草野香+菊池由美ほか訳、小学館、二〇二〇年/ジョン・ボルトン『ジョン・ボルトン回顧録――トランプ大統領

との453日』梅原季哉監訳、朝日新聞出版、二〇二〇年
Q91 ヒラリー・ロダム・クリントン『何が起きたのか？』高山祥子訳、光文社、二〇一八年
Q92 スーザン・ピンカー『なぜ女は昇進を拒むのか――進化心理学が解く性差のパラドクス』幾島幸子＋古賀祥子訳、早川書房、二〇〇九年
Q93 米本昌平『バイオポリティクス――人体を管理するとはどういうことか』中公新書、二〇〇六年
Q94 森岡正博『生命学に何ができるか――脳死・フェミニズム・優生思想』筑摩書房、二〇〇一年
Q95 ローリー・B・アンドルーズ『ヒト・クローン無法地帯――生殖医療がビジネスになった日』望月弘子訳、紀伊國屋書店、二〇〇〇年
Q96 アラン・ソーカル＋ジャン・ブリクモン『「知」の欺瞞――ポストモダン思想における科学の濫用』田崎晴明＋大野克嗣＋堀茂樹訳、岩波書店、二〇〇〇年（岩波現代文庫、二〇一二年）
Q97 アラン・M・ウィンクラー『アメリカ人の核意識――ヒロシマからスミソニアンまで』岡田良之助訳、ミネルヴァ書房、一九九九年
Q98 岡部恒治＋戸瀬信之＋西村和雄編『分数ができない大学生――21世紀の日本が危ない』東洋経済新報社、一九九九年／新井紀子『AI vs. 教科書が読めない子どもたち』東洋経済新報社、二〇一八年
Q99 伊佐山芳郎『現代たばこ戦争』岩波新書、一九九九年
Q100 マイケル・ライス＋ロジャー・ストローハン『生物改造時代がくる――遺伝子組換え食品・クローン動物とどう向きあうか』白楽ロックビル訳、共立出版、一九九九年

長谷川眞理子（はせがわ・まりこ）

1952年東京都生まれ。人類学者。東京大学理学部卒業。同大学院理学系研究科博士課程修了。専門は自然人類学、行動生態学。イェール大学人類学部客員准教授、早稲田大学教授などを経て、現在、総合研究大学院大学学長。野生チンパンジー、ダマジカ、野生ヒツジ、クジャクなどの研究を行ってきた。最近は、ヒトの進化、科学と社会の関係を研究課題に据えている。主な著書に『モノ申す人類学』、『世界は美しくて不思議に満ちている』（以上、青土社）、『生き物をめぐる4つの「なぜ」』（集英社新書）、『動物の生存戦略』（左右社）などがある。

ヒトの探究《たんきゅう》は科学《かがく》のQ

2020年11月20日　第1刷印刷
2020年11月30日　第1刷発行

著　者　長谷川眞理子《はせがわまりこ》

発行者　清水一人
発行所　青土社

〒101-0051　東京都千代田区神田神保町1-29　市瀬ビル
電話　03-3291-9831（編集部）　03-3294-7829（営業部）
振替　00190-7-192955

印　刷　双文社印刷
製　本　双文社印刷

装　幀　竹中尚史

ISBN978-4-7917-7325-1　C0040

世の中がどのように変わるのか、本当に変わっていくのか、また一〇年後くらいに振り返ってみたい。長く生きていると良いことの一つは、曲がりなりにも歴史の流れがわかることだ。昔、当然だと思っていたことが、そうではなくなる。昔は考えられもしなかったことが、やがて当たり前になる。きっと直線的に良くなる方向に進むと思っていたことが、そうでもなさそうだとわかる。

書物は、それぞれの時代を表し、読者はそれを読んで、その時を生きていく。戦争の時代に書かれたものは、戦争の時代の思潮《しちょう》を伝え、パンデミックのときに書かれたものは、パンデミックの時代の思潮を伝えるだろう。書物は、時代も場所も一人の人間の人生も超えて、その内容を他者に伝えていく。読者がそれをどのように消化していくのかは、読者個人の問題だが、本を読んで考えるということは、時空を超えて考えを共鳴させる行為であり、つくづく素晴らしいことだと思うのである。

最後になってしまったが、本書を企画し、このような形に製作してくださった青土社編集部の足立朋也氏に感謝の意を表したい。誰もがどこでもスマートフォンを手にしている時代であっても、書物と読書の楽しみは消えずに続いていってほしいと願う次第である。

二〇二〇年一〇月

長谷川眞理子

あとがき

書評を依頼されるときの原稿は、字数が限られている。たいてい、もっと書きたいことがあるのだが書ききれない。そこで本書では、今改めて読み返してみて、付け加えたい事柄を少し書き足してみた。それは、時代の変化に対応するという意味でもあった。

それにしても、この一〇年での科学の進みは速い。一九九九年ごろに取り上げた書物の中に、AIの話はほとんどなかった。また、遺伝子改変の話はあったが、その精度はそれほど高くはなかった。今や、深層学習という手法の進展でAIをめぐる状況は様変わりし、クリスパーキャス9という技術の発明で、遺伝子操作をめぐる状況も様変わりした。一〇年前の議論には、もう古臭いところもある。

そして、二〇一九年の暮れから始まった新型コロナウイルスのパンデミックである。これからの